FOME NA UCRÂNIA

Trabalhadores utilizando semeadeiras em uma
fazenda coletiva comunista nas estepes da
Ucrânia, URSS. Cerca de 1935

AVIS RARA

GARETH JONES

ORGANIZAÇÃO E EDIÇÃO
DUDA TEIXEIRA

FOME NA UCRÂNIA
OS RELATOS DO FRONT DO HOLODOMOR

COPYRIGHT © FARO EDITORIAL, 2022
COPYRIGHT © DUDA TEIXEIRA, 2022
GARETH JONES © 1905 - 1935

Todos os direitos reservados.
Nenhuma parte deste livro pode ser reproduzida sob quaisquer meios existentes sem autorização por escrito do editor.

Avis Rara é um selo de Ciências Sociais da Faro Editorial.

Diretor editorial **PEDRO ALMEIDA**

Coordenação editorial **CARLA SACRATO**

Preparação **MARINA MONTREZOL**

Revisão **BÁRBARA PARENTE**

Imagem de capa **SVEKLOID | SHUTTERSTOCK**

Foto do autor **ESPÓLIO DE MARGARET SIRIOL COLLEY**

Fotos internas **EVERETT COLLECTION**

Dados Internacionais de Catalogação na Publicação (CIP)
Jéssica de Oliveira Molinari CRB-8/9852

Jones, Gareth, 1905-1935
    Fome na Ucrânia : os relatos do front do Holodomor / Gareth Jones ; organização e introdução de Duda Teixeira. — São Paulo : Avis Rara, 2022.
    176 p.

    ISBN 978-65-5957-232-8
    Título original: "Tell them we are starving": the 1933 Soviet diaries of Gareth Jones

    1. Jones, Gareth, 1905-1935 – Diários 2. Ucrânia – História - Fome, 1932-1933 – Fontes I. Título II. Teixeira, Duda

22-4350   CDD 947.70841

Índice para catálogo sistemático:
1. Ucrânia – História – Fome, 1932-1933 – Fontes

1ª edição brasileira: 2022
Direitos de edição em língua portuguesa, para o Brasil, adquiridos por FARO EDITORIAL.

Avenida Andrômeda, 885 — Sala 310
Alphaville — Barueri — SP — Brasil
CEP: 06473-000
www.faroeditorial.com.br

Sumário

LINHA DO TEMPO 7

A SOMBRA DE STALIN 13

UM PÃOZINHO EM HUGHESOVKA 15
Carta de Gareth Jones para seus pais 16

A NOVA ARISTOCRACIA 19
O esnobismo da Rússia Soviética. 19

JORNALISMO COM MÉTODO 22
As duas Rússias. Governantes e governados 24
As duas Rússias. Fanatismo e desilusão. 29
As duas Rússias. A força dos comunistas 33

CONVERSAS COM PESSOAS COMUNS 38
Meus diários russos 38

A AMBIÇÃO SOVIÉTICA. 50
O Plano Quinquenal dos comunistas 50
O futuro da Rússia. 54
Fatores a favor do sucesso do plano. 58
Trabalhadores russos desiludidos 62
Mistura de sucessos e fracassos 65

SEGUNDA VIAGEM À URSS COM JACK HEINZ II 69
A verdadeira Rússia. O camponês na fazenda. 70
A verdadeira Rússia. As perspectivas do plano 76
A real juventude da Rússia e o futuro 80

PREVISÕES PARA O ÚLTIMO INVERNO. **85**

A viúva de Lênin conversa com um galês **86**

Vai ter sopa? A Rússia teme o inverno que se aproxima **89**

Vai ter sopa? A Rússia faminta sob o Plano Quinquenal. **91**

TERCEIRA VIAGEM À URSS **94**

A fome domina a Rússia. O Plano Quinquenal acabou com
o suprimento de pão. **96**

AS DESAVENÇAS COM WALTER DURANTY, DO *THE NEW YORK TIMES* . . **99**

A resposta de Gareth Jones. **100**

TESTEMUNHA DO HOLODOMOR **104**

Finalmente, a verdade sobre a Rússia **105**

Conversa com o menchevique Alexander Kerensky. **108**

"Pão! Estamos morrendo" **111**

Descontentamento em ebulição entre russos. **114**

O reinado de terror do OGPU **117**

Soviéticos confiscam parte do salário dos trabalhadores **119**

Quinze horas esperando as lojas abrirem. **123**

Meus pensamentos na viagem para Moscou. **126**

A vida lastimável dos escravos das fábricas soviéticas **129**

Confisco de terras e abate de rebanho. **132**

Por que há desemprego na Rússia **134**

Os soviéticos estão prontos para a guerra **137**

Adeus, Rússia. **139**

A Páscoa em um país sem Deus. **142**

O golpe do OGPU no comércio **145**

"Pão, estamos morrendo de fome!" **148**

Fazendas coletivas soviéticas causaram fome na Rússia. **151**

COM HEARST NA CALIFÓRNIA **157**

A fome na Rússia **158**

Não tem pão. **162**

Vermelhos deixam os camponeses morrerem de fome **166**

ASSASSINATO NA CHINA **171**

BIBLIOGRAFIA **173**

Linha do tempo

1917

Fevereiro (no calendário russo)

O czar Nicolau II é deposto pela Revolução Russa. Instala-se um governo provisório, que será comandado pelo advogado Alexander Kerensky, da ala menchevique do Partido Operário Social-Democrata Russo, POSDR

Outubro (no calendário russo)

Os bolcheviques, da ala mais radical do POSDR, derrubam o governo provisório com ajuda do Exército Vermelho. O país passa a ser governado pelo Conselho do Comissariado do Povo, com Lênin à frente. É a Revolução de Outubro, que instala a ditadura do proletariado

1918

Janeiro

Com o fim do Império Russo, ucranianos declaram independência e fundam a república da Rada Central

Março

Bolcheviques impedem o desenvolvimento de um país independente na Ucrânia. Cria-se a República Socialista Soviética da Ucrânia

1919

Junho

Assinatura do Tratado de Versalhes sela a paz após o fim da Primeira Guerra Mundial

1921

Janeiro

A guerra civil entre exércitos brancos e bolcheviques, aliada à seca e aos efeitos da Primeira Guerra Mundial, causa fome, que afeta principalmente as regiões do Volga e dos Urais

Março

Para aliviar a situação dos camponeses famintos, Lênin anuncia a Nova Política Econômica, NEP, que permite práticas capitalistas

1922

Dezembro

A República Socialista Soviética Ucraniana passa a fazer parte da União das Repúblicas Socialistas Soviéticas, URSS, ou simplesmente União Soviética

1924

Janeiro

Morte de Lênin. Josef Stalin assume o poder

Fevereiro

O Reino Unido retoma relações diplomáticas com a União Soviética

1927

Reino Unido e União Soviética cortam laços diplomáticos após os soviéticos serem acusados de espionagem

1928

Outubro

Stalin anuncia o Plano Quinquenal e ordena esmagar os camponeses, *"eliminá--los enquanto classe"*

1929

O galês Gareth Jones se forma na Universidade de Cambridge, no Reino Unido, depois de quatro anos estudando língua e história russas

Janeiro

Leon Trótski é expulso da União Soviética, após desavenças com Stalin

Setembro

Gareth Jones faz um mês de estágio no jornal *The Times*, em Londres

Outubro

Ocorre o *crash* da bolsa de Nova York, dando início a uma crise com repercussões mundiais

Reino Unido e urss reatam relações diplomáticas e turistas britânicos são encorajados a visitar Moscou

1930

Janeiro

1º — Gareth Jones começa a trabalhar para o ex-primeiro-ministro britânico David Lloyd George

Agosto

6 a 26 — Primeira viagem de Gareth Jones à União Soviética, passando por Moscou, Rostov do Don, Kislodovsk (urss), Kharkiv e Huchesovska (Stalino ou Donestk, na Ucrânia)

1931

Abril

Termina o período de trabalho de Gareth Jones com David Lloyd George. O jornalista se muda para Nova York, onde começa no escritório do publicitário Ivy Lee

Agosto

Segunda viagem de Gareth Jones à urss, acompanhando o herdeiro da empresa de ketchup Jack Heinz ii. Eles visitam Leningrado (São Petersburgo), Moscou, Níjni-Novgorod, Samara, Rostov do Don, Alexandrovsky (Rússia), Kiev e Kharkiv (Ucrânia). Na capital Moscou, os dois se encontram com Walter Duranty, correspondente do *The New York Times*, e com a viúva de Lênin, Madam Krupskaya

1932

Março

A fome se agrava na primavera do hemisfério norte e tem início o Holodomor. Quase 4 milhões de ucranianos perdem suas vidas

1933

Fevereiro

23 — Jornalistas ocidentais são proibidos de deixar Moscou sem autorização

Março

4 a 28 — Terceira viagem de Gareth Jones à URSS, passando por Moscou (Rússia) e Kharkiv (Ucrânia)

12 — Seis engenheiros britânicos da empresa Metro-Vickers são detidos pela polícia secreta OGPU

1935

Janeiro

O jornalista Jones se encontra com o magnata da mídia William Randolph Hearst, em seu rancho na Califórnia

Agosto

Gareth Jones é assassinado na China, um dia antes de completar 30 anos

1991

Agosto

A União Soviética entra em colapso com uma tentativa de golpe de estado. Ucrânia declara independência

Dezembro

Fim da União Soviética. Cai a censura que impedia de falar sobre o Holodomor. O trabalho de Gareth Jones e de outros jornalistas começa a ser resgatado

Propaganda agrícola coletiva. Repórteres soviétic montando o jornal distrital *Collective Farmer* nos camp da fazenda coletiva Lenin no distrito de Zhazhkovo, Ucrânia, URSS, em 18 de agosto de 193

FOME NA UCRÂNIA

A sombra de Stalin

Nascido no País de Gales, no Reino Unido, Gareth Jones é um herói na Ucrânia. Aos 24 anos, ele iniciou um périplo de três viagens para a União das Repúblicas Socialistas Soviéticas, a URSS, para documentar a evolução do Plano Quinquenal, anunciado pelo ditador Josef Stalin em 1928. Na terceira viagem, em 1933, Jones testemunhou a tragédia do Holodomor, termo criado com a união das palavras ucranianas *holod* (fome) e *mor* (extermínio). A coletivização das terras e o confisco de grãos fizeram com que, em toda a URSS, 5 milhões de pessoas, a maioria camponeses, morressem de fome. Só na Ucrânia, quase 4 milhões de vidas foram perdidas.

Para conseguir se embrenhar no interior da Rússia, onde jornalistas foram proibidos de entrar, Jones usou seu passaporte diplomático e comprou uma passagem de trem para uma cidade grande ucraniana, Kharkiv, que era então a capital. Ele desceu em uma estação no meio do caminho e seguiu a pé pela linha de trem, no meio da neve, até seu destino. No percurso de mais de 60 quilômetros, visitou vinte aldeias. Conversou com os camponeses e viu a fome em toda sua crueldade. Ao deixar a URSS, Jones se tornou o primeiro jornalista estrangeiro a visitar a Ucrânia depois que a ditadura stalinista baniu as viagens de correspondentes pelo país, e foi um dos poucos corajosos a divulgar o Holodomor para o mundo.

Por quase seis décadas, esse desastre foi obliterado da memória dos russos e de todos os outros povos que faziam parte do bloco soviético. Registros de mortes foram adulterados para não indicar a fome como causa. Arquivos oficiais foram destruídos e estatísticas de recenseamentos, distorcidas. Pessoas que guardavam diários sobre esse período foram presas, acusadas de serem contrarrevolucionárias. Apenas a partir de 1991, com o colapso da URSS, a tragédia passou a ser estudada por historiadores e jornalistas, o que trouxe à tona o trabalho de Gareth Jones.

Este livro contém uma seleção de 40 textos e reportagens que Jones publicou, de forma anônima ou não, após suas viagens. Todos os horrores descritos neles são fruto da decisão de um único homem: Josef Stalin. O testemunho de Jones permite vislumbrar o absurdo de um ditador impor sua vontade sobre a vida de milhões de pessoas, até mesmo cidadãos de outros países. Jones também provoca uma reflexão sobre as consequências danosas de se permitir uma interferência desmedida do estado na sociedade, eliminando as liberdades de expressão, organização e movimento. Revela ainda os excessos que podem ser cometidos por um estado militarizado, em que os órgãos de segurança e a polícia secreta atuam sem freios e sem ética. A informação era controlada e os cidadãos eram mantidos em um perpétuo estado de temor.

A preservação do legado de Jones se deve principalmente à tenacidade de sua sobrinha, Margaret Siriol Colley, que escreveu a biografia do tio, com o título *More than a Grain of Truth* (Mais que um grão de verdade, em tradução livre). Inspirado nesse trabalho, em 2019, foi lançado o filme *Mr. Jones, a Sombra de Stalin*, dirigido pela polonesa Agnieszka Holland. O filho de Margaret, Nigel Colley, manteve o site www.garethjones.org, com textos escritos por Gareth Jones e sobre ele. Após a morte de Nigel, quem assumiu a responsabilidade pela página foi seu irmão, Philip, a quem agradecemos pela ajuda e pelo estímulo para escrever este novo livro, com as primeiras traduções de suas reportagens, cartas e diários para o português.

Um pãozinho em Hughesovka

Gareth Jones formou-se com honras em Cambridge, em 1929. Falava russo, francês e alemão. Em russo, foi o primeiro da turma. Suas habilidades e sua inteligência suscitaram a expectativa de que ele teria sucesso na carreira diplomática, em alguma organização internacional ou no jornalismo.

No mesmo ano, após um período de teste que durou um mês no jornal *The Times*, em Londres, ele foi convidado para trabalhar durante doze meses como assessor internacional para David Lloyd George, ex-primeiro-ministro britânico e principal nome do Partido Liberal. Com a vitória do Partido Trabalhista em maio de 1929, os liberais passaram para a oposição ao lado dos conservadores, e Lloyd George seguiu em contato frequente com outros parlamentares.

David Lloyd George é um personagem de importância histórica. Foi ele que comandou o Reino Unido durante a Primeira Guerra, lutando contra os alemães. Após o fim do conflito, em 1919, negociou o Tratado de Versalhes, perto de Paris, para selar a paz. Assinaram também o documento o presidente dos Estados Unidos, Woodrow Wilson, o da França, George Clemenceau, e o primeiro-ministro da Itália, Vittorio Orlando.

O trabalho de Jones no gabinete de Lloyd George teve início no dia 1º de janeiro de 1930. O jovem ajudava o político na elaboração de discursos e artigos para jornais. Também traduzia textos da imprensa estrangeira e escrevia anotações para os debates parlamentares. O recém-formado estava entusiasmado com as funções que recebera e comemorou o novo trabalho em uma carta para a família: "Terei uma influência nas relações internacionais através de Lloyd George. Provavelmente terei de viajar para fora agora e depois".

FOME NA UCRÂNIA

Exercendo seu ofício, Jones preparou relatórios sobre diversos assuntos internacionais, como os movimentos pela independência da Índia e a situação da Palestina e do Egito. Mas o tema que mais o fascinava era a Rússia soviética que, em outubro de 1929, tinha acabado de retomar as relações com o Reino Unido. Era um período de certa abertura, com turistas sendo encorajados a viajar para Moscou.

A atração de Jones pela Rússia se devia, em grande parte, à relação que sua mãe tinha com esse país. Em 1889, aos 20 anos, Annie Gwen Jones mudou-se para a cidade de Hughesovka, onde trabalhou por três anos como governanta das netas do empreendedor John Hughes. Com um grupo de galeses, Hughes fundou por lá uma nova comunidade, que foi batizada com seu sobrenome. Annie contava muitas histórias sobre seu tempo na Rússia para o filho e o ensinou a falar o idioma.

Hughesovka, em 1924, passou a ser chamada de Stalino, em homenagem a Josef Stalin, e hoje é Donetsk, no leste da Ucrânia. A região onde fica o município é a da bacia do rio Donets, ou Donbas, próspera em minas de carvão, indústrias, fazendas de trigo, ferrovias e hidrovias. No início dos anos 1930, a região foi um dos pontos que mais recebeu atenção no Plano Quinquenal de Stalin.

A apenas 100 quilômetros da fronteira com a Rússia, Donetsk está no centro das disputas atuais. Em 2014, a região foi invadida por soldados russos, enviados pelo presidente Vladimir Putin. Em fevereiro de 2022, Donetsk e a vizinha Luhansk foram declaradas por Putin como estados soberanos, pouco antes de a Rússia iniciar uma invasão militar na Ucrânia.

Hughesovka, ou Donetsk, esteve, portanto, no roteiro da primeira viagem de Gareth Jones para a União Soviética, país que ele chama apenas de "Rússia". De trem, em agosto de 1930, ele também visitou as cidades de Kharkiv, Rostov do Don e Kislovodsk. Como assessor de Lloyd George, ele foi recebido pelo diretor da Companhia Turística da Rússia e pelo ministro da Agricultura. Conheceu as redações dos jornais oficiais *Pravda* e *Izvestia*.

Depois de Gareth Jones deixar a URSS, quando já estava em segurança na Alemanha, ele enviou uma carta manuscrita de quatro páginas para seus pais. Eis o texto.

CARTA DE GARETH JONES PARA SEUS PAIS

ALEMANHA, 26 de agosto de 1930. Viva! É maravilhoso estar na Alemanha novamente, absolutamente maravilhoso. A Rússia está em uma situação muito ruim: podre, sem comida, só pão; opressão, injustiça, miséria entre os trabalhadores e 90% deles estão descontentes. Eu vi algumas coisas muito ruins, e isso me enlouqueceu quando pensei que pessoas como [trecho riscado] vão para lá e voltam, depois de terem sido conduzidas por vários lugares e comido bastante, e dizem que a Rússia é um paraíso. No Sul, fala-se de uma nova revolução, mas isso nunca acontecerá, porque o Exército e o OGPU* são muito fortes. O inverno vai ser de grande sofrimento lá e há fome. O governo é o mais brutal do mundo. Os camponeses odeiam os comunistas. Este ano, milhares e milhares dos melhores homens da Rússia foram enviados para a Sibéria e para a ilha-prisão de Solovki**. As pessoas agora estão falando abertamente contra o governo.

Na Bacia do Donets, as condições são insuportáveis. Milhares estão partindo. Nunca vou me esquecer da noite que passei numa estação ferroviária a caminho de Hughesovka. O que me fez deixar Hughesovska tão rapidamente foi que só consegui comer um pãozinho — e isso até as 7 horas. Muitos russos estão fracos demais para trabalhar. Eu sinto muito por eles. Eles não podem fazer greve, porque seriam fuzilados ou enviados para a Sibéria. Há um monte de inimigos dos comunistas dentro do país.

No entanto, grandes avanços foram feitos em muitas indústrias e há uma boa chance de que, quando o Plano Quinquenal terminar, a Rússia se tornará próspera. Mas, até lá, haverá grande sofrimento, muitos tumultos e muitas mortes.

Os comunistas estão fazendo um excelente trabalho de educação para ensinar hábitos de higiene e contra o álcool. A manteiga custa 8 o quilo, em Moscou; os preços são terríveis. Sapatos e outras coisas não podem ser comprados. Não há nada nas lojas. Os comunistas foram notavelmente gentis comigo, e passamos bons momentos juntos.

---

* OGPU: a polícia secreta soviética, submetida ao ditador Josef Stalin. As iniciais são de Diretório Político Unificado do Estado. Inicialmente, chamou-se Tcheka, nos primeiros dias após a Revolução Russa, em 1917. Depois trocou de nome: GPU, OGPU, NKVD e KGB. Com o fim da União Soviética, passou por uma reformulação e hoje atende pelo nome FSB.
** Solovki: considerado "a mãe dos campos de concentração", por ter inspirado os demais gulags. Seu edifício ficava em um monastério reformado no extremo norte da União Soviética, na ilha de Popoff, perto da Finlândia. O empreendimento se baseava no trabalho escravo e era comandado pelo OGPU, a polícia secreta. Os prisioneiros – principalmente camponeses, intelectuais e trabalhadores – eram obrigados a cortar madeira e embarcar os troncos em navios para serem exportados. Eles também eram recrutados para obras, como o Canal Mar Branco-Mar Báltico. O relato do russo Vladimir Tchernavin, que fugiu desse campo, está no livro Nos Campos de Concentração Soviéticos, lançado pela Avis Rara.

No domingo passado, voei de Rostov* para Moscou como convidado deles. Vocês receberão esta carta provavelmente antes da minha carta de domingo. A Alemanha é um bom lugar. Estou ansioso para ver os Haferkorns e receber as cartas de vocês lá, porque recebi poucas notícias. Graças a Deus não sou um cônsul na Rússia — nem mesmo em Taganrog!

Acabei de comer um bom almoço. Quando eu voltar, apreciarei mais do que nunca o jantar da tia Winnie.

Amorosamente,
Gareth

---

* Rostov: trata-se da cidade de Rostov do Don, que fica na Bacia do Donets, do lado da Rússia.

A nova aristocracia

Depois de retornar para o Reino Unido, Gareth Jones publicou uma reportagem anônima no jornal *The Western Mail*, de Cardiff, a capital do País de Gales. Sua principal crítica é que, no país que prometeu acabar com a luta de classes, uma nova distinção surgiu. No topo estavam os membros do Partido Comunista e trabalhadores industriais. Embaixo deles ficavam os demais trabalhadores, com menos direitos. Entre os subjugados estavam "o pobre funcionário de banco, o assistente dos correios, as garçonetes ou vendedoras".

O ESNOBISMO DA RÚSSIA SOVIÉTICA

The News Chronicle

LONDRES, 3 de outubro de 1930. Existem muitos tipos de esnobismo. Há o esnobismo da velha senhora que reverencia um título e adora sangue azul. Há o esnobismo do americano que coloca o ganhador de dinheiro bem-sucedido em um pedestal. A Bloomsbury* tem sua própria marca especial: o esnobismo intelectual. Finalmente, há este esnobismo, que é desenfreado na Rússia hoje.

---

* Bloomsbury: Distrito de Londres conhecido pela vida cultural. No começo do século XX, um grupo de intelectuais, escritores, filósofos e artistas ligados a universidades criou o Grupo Bloomsbury, que incluía Virginia Wolf e John Maynard Keynes.

As classes privilegiadas

O operário da cidade é o aristocrata da União das Repúblicas Socialistas Soviéticas, a URSS. Ele se senta nas primeiras fileiras da Casa da Ópera. Ele fica em primeiro lugar na fila quando há pouca carne. Só ele é enviado para uma casa de repouso ou um sanatório. É ele quem mais se orgulha de seu nascimento. Poder se gabar de ter sua origem na classe trabalhadora é muito mais importante para um russo do que a posse de sangue normando já foi na Inglaterra. Essa dominação por uma pequena classe, o proletariado da cidade, foi a característica que mais me impressionou durante a minha visita recente à Rússia soviética, onde saber falar russo me ajudou a entender o que ocorre abaixo da superfície.

O distintivo de classe

"O que o seu pai é? Ele é um trabalhador ou um burguês?" Quantos russos me fizeram essa pergunta! Um oficial gordo do Exército Vermelho que prometeu me visitar em Londres quando estourasse a revolução mundial estava extremamente ansioso para descobrir se eu estava contaminado pelo capitalismo ou não. Quando revelei que era burguês, ele me tratou com pena. Previu um futuro sombrio para mim quando a União Mundial das Repúblicas Socialistas Soviéticas surgisse. Ainda assim, ele disse, como eu era um "intelectual" e não um "capitalista", meu destino poderia não ser tão ruim.

A nova aristocracia da Rússia tem muitos privilégios. O maior deles é a carteirinha do sindicato. Os sindicalistas britânicos terão dificuldade em perceber que bem precioso é esse; tão precioso, de fato, que um negócio estrondoso foi realizado na falsificação e venda ilícita desses cartões. Se você tem uma carteirinha sindical de trabalhador, recebe uma parcela muito maior de pão, carne ou manteiga (se houver!) do que o pobre funcionário de banco, o assistente dos correios, as garçonetes ou vendedoras. Você tem preços reduzidos em cinemas, teatros, shows, jardins e restaurantes. Você só paga dois centavos para visitar o Museu Antirreligioso ou o Museu da Revolução, enquanto o povo comum tem que pagar quatro centavos!

Gafe

Há uma completa inversão de valores quando se julga a ocupação de alguém e, é claro, sua posição social. Isso se reflete na linguagem de hoje. Os equivalentes pré-revolucionários de *"Monsieur"* ou *"Mademoiselle"* agora são tabu e foram substituídos por "Camarada" e "Cidadão". Um pequeno incidente em uma farmácia em Moscou ilustrará essa mudança nas formas de tratamento. Uma garota que estava ao meu lado e provavelmente era da província cometeu a grande gafe de gritar para a balconista *"Baryshnia"* (*Mademoiselle*) em vez de dizer "Camarada" ou "Cidadã". Jamais esquecerei os rostos chocados dos clientes que a ouviram nem seus rubores ao perceber que ela tinha revelado sua origem burguesa. A esposa de um vendedor ambulante do East End* não ficaria mais envergonhada em uma joalheria da rua Bond do que essa garota de classe média ou talvez nobre na loja de uma farmácia cooperativa comunista.

O sangue azul conta

Numa noite, fui a um teatro de Moscou e fiquei impressionado com o esnobismo que a peça revelava. A impressão que a apresentação me deixou foi de que, na Rússia, dá-se muito mais ênfase ao que seu pai era do que ao que você é. A heroína do drama era uma enérgica garota comunista, que inspirou todos os seus companheiros na fábrica com seu entusiasmo pelo Plano Quinquenal. Quando as coisas iam mal e a produção era baixa, foi ela quem reuniu os trabalhadores e salvou a situação. Então, veio uma bomba. Um bêbado revelou o vergonhoso fato de que o pai dela não era nada mais que um policial czarista! Comoção. "Jogue-a para fora do partido", foi o grito. E ela teve que ir.

Muitas vezes o esnobismo soviético degenera em verdadeira crueldade. Eu estava conversando com um zelador russo e sua esposa e vendo algumas criancinhas sujas brincarem. "Olhe para essas crianças", disse a mulher. "Elas nasceram para o infortúnio, porque os pais não são trabalhadores. Elas nunca vão se dar bem na vida. Quando crescerem, não poderão ir para a universidade e agora não podem ter comida até que os filhos dos trabalhadores estejam fartos. Pobres e infelizes!"

De todos os tipos de esnobismo, o comunista é o pior, pois não é uma exibição superficial de superioridade de classe, como na Inglaterra, mas algo que arruína a vida de muitos russos, cujo único pecado foi serem filhos de pais que não eram da classe trabalhadora.

---

* East End: bairro pobre de Londres naquela época.

Jornalismo com método

U m dos temas de que Gareth Jones mais tratou em seus textos foi o Plano Quinquenal, decretado em 1928 por Josef Stalin. A proposta pretendia, em cinco anos, eliminar os pequenos agricultores kulaks, que tinham algumas posses e contratavam mão de obra. Disse Stalin:

"Lançar uma ofensiva contra os kulaks significa que nós devemos esmagá-los, eliminá-los enquanto classe. Se nós não colocarmos esse objetivo, estaríamos fazendo apenas uma declaração, uma alfinetada, uma troca de frases; tudo, menos uma verdadeira ofensiva bolchevique. Lançar uma ofensiva contra os kulaks significa que nós devemos nos preparar e então os atacar, golpeá-los com tanta força que eles não possam ficar de pé novamente. É isso o que os bolcheviques chamam de ofensiva de verdade."

Em sua primeira viagem, Jones conversou com vários desses camponeses. Um deles se queixou de não conseguir comprar nada no mercado da cidade, por não ter o cartão da fazenda coletiva. A intenção de Stalin era forçar que todos eles integrassem esses empreendimentos, chamados de *colcozes**. Para tanto, deveriam renunciar às próprias terras e seu gado. Comunistas também confiscaram grande parte dos grãos produzidos por esses agricultores. Gareth Jones tomou nota da reação dos camponeses em seu périplo por várias cidades.

Assim que o jornalista voltou a botar os pés na Inglaterra, seu chefe, Lloyd George, convidou-o para um jantar. Na presença de outros homens interessados e de lordes, Jones falou longamente sobre sua aventura. Uma das principais preocupações de Lloyd era com a situação dos agricultores.

---

* Colcoz: propriedade rural coletiva típica da União Soviética.

"Pobres diabos. O que aconteceria conosco se um governo soviético fosse instalado aqui?", perguntou Lloyd George para Jones. "O senhor seria morto", respondeu Jones.

Um dos participantes desse jantar, Lorde Lothian, vice-secretário de estado para a Índia, então colônia britânica, ficou impressionado com o que ouviu e colocou Jones em contato com um editor do jornal inglês *The Times*. O periódico não aceitava nenhum tipo de censura e tinha seu correspondente da União Soviética em Riga, na Letônia. Essa independência editorial permitiu que Jones publicasse três reportagens não assinadas em outubro de 1930, com o título "As duas Rússias".

Além de serem os textos mais precisos sobre a realidade da União Soviética publicados até então, também demonstram o método de trabalho de Jones. Ele falava com todos os tipos de pessoas, como altos dirigentes, diretores de fazendas coletivas, jovens comunistas, policiais, mineiros, pedintes e comerciantes. Assim que se afastava do entrevistado, Jones tomava nota das conversas, para ser o mais fiel possível ao que lhe fora dito.

O enviado da *Associated Press* a Moscou, Eugene Lyons, conheceu Jones mais tarde e o descreveu com os seguintes termos em seu livro *Assignment in Utopia* (Um correspondente na utopia, em tradução livre): um "homenzinho determinado e meticuloso [...], o tipo de pessoa que carrega um bloco de notas e registra, com a maior naturalidade, todas as suas palavras enquanto vocês conversam".

Depois, Jones avaliava de que forma as opiniões coletadas poderiam relacionar-se com a situação de cada um. Dessa maneira, ele decidia que importância deveria dar a cada relato e como apresentá-lo.

Com esse método bem consolidado, Jones menosprezava os colegas de profissão que destilavam opiniões ou relatavam histórias nos jornais após consultarem apenas os oficiais comunistas. "Poucos observadores da Rússia soviética são dignos de crédito, a menos que entendam e falem russo, a menos que tenham estudado cuidadosamente a imprensa bolchevique e tenham tido contatos não apenas com aquela seção numericamente insignificante do Partido Comunista, mas também com camponeses, mineiros, nobres, trabalhadores de restaurantes, comerciantes privados, padres, funcionários públicos e engenheiros", escreve Jones.

FOME NA UCRÂNIA

AS DUAS RÚSSIAS. GOVERNANTES E GOVERNADOS

The Times

LONDRES, 13 de outubro de 1930. Os visitantes da Rússia czarista muitas vezes voltavam para a Inglaterra impressionados com a aparente lealdade de toda a população ao imperador e totalmente ignorantes do descontentamento que fervilhava rapidamente abaixo da superfície. Hoje, a história se repete. Grupos de turistas, desde o início tendenciosos em favor do "paraíso dos trabalhadores", estão sendo influenciados por guias competentes e encantadores que mostram uma fachada da Rússia soviética, e deixam o país entusiasmados com o sucesso da experiência socialista. Não tendo o menor conhecimento da língua e conhecendo poucas pessoas além de comunistas ativos, eles chegam à conclusão de que a maioria dos que encontram são fervorosos defensores do atual regime. A cortesia dos funcionários comunistas e sua disposição de não poupar esforços para impressionar seus convidados desarmam as críticas e deixam as delegações estrangeiras alegremente ignorantes da fome, do descontentamento, da oposição e do ódio que, nos últimos meses, vêm crescendo em intensidade e se espalhando por toda a União Soviética e por todos os setores da comunidade.

Poucos observadores da Rússia soviética são dignos de crédito, a menos que entendam e falem russo, a menos que tenham estudado cuidadosamente a imprensa bolchevique e tenham tido contatos não apenas com aquela seção numericamente insignificante do Partido Comunista, mas também com camponeses, mineiros, nobres, trabalhadores de restaurantes, comerciantes privados, padres, funcionários públicos e engenheiros. Ao estimar a importância da opinião expressa pelos russos, o caráter e a posição dos que falam devem ser levados em consideração, uma vez que um mineiro que escapa da Bacia do Donets, onde houve uma grave ruptura no abastecimento de alimentos, tem muito mais probabilidade de exagerar a gravidade da situação do que um especialista bem pago que trabalha na indústria elétrica, que está fazendo grandes progressos. A seguinte avaliação da situação na Rússia foi feita com esses métodos durante uma recente visita à União Soviética, e as conversas citadas nos artigos seguintes foram anotadas o mais rápido possível, assim que o entrevistado russo deixava a presença do escritor.

As duas visões

Em um vasto país sob a "ditadura do proletariado", onde as urnas pouco participam, é difícil tirar uma conclusão sobre a quantidade exata de apoio que o regime tem da população, especialmente quando esse apoio varia de acordo com a quantidade de carne ou de grãos recebida em uma determinada cidade ou o preço da manteiga em um determinado mercado. A população parece, no entanto, estar dividida em duas partes: os "ativos", ou seja, "os governantes", compostos por menos de 10%, e os "não ativos", que são "os governados", compostos por mais de 90% do total. Enquanto a maioria dos "ativos", o grupo dos 10%, composto por membros do partido e de organizações juvenis, está cheia de entusiasmo — desconhecido em qualquer outro grupo de pessoas, exceto, talvez, os nacional-socialistas da Alemanha, os fascistas e o Exército da Salvação —, os 90% "não ativos" estão completamente desiludidos, perderam a fé no Plano Quinquenal e temem o retorno do próximo inverno e das condições que vigoraram em 1918 e 1919.

A minoria ativa é composta, principalmente, por jovens de idade e de espírito. Muitos deles, que agora têm 20 anos, tinham apenas 7 anos quando eclodiu a Revolução de Outubro e não têm nenhuma concepção de como é a vida em um país capitalista. Tendo passado pelos campos de treinamento comunistas dos pioneiros (os escoteiros comunistas) e da Komsomol (a Liga da Juventude Comunista), eles tiveram o leninismo marcado neles e foram educados para acreditar na inevitabilidade da revolução mundial e na próxima guerra que os capitalistas, segundo lhes contaram, farão contra a Rússia soviética. Muitos estão impacientes com o que consideram o lento progresso de socialização na Rússia. Como disse uma mulher trabalhadora: "Os idosos pensam que o Plano Quinquenal está indo rápido demais, mas para os jovens não está indo rápido o suficiente". O milênio deve chegar de uma vez e todos os remanescentes do capitalismo devem desaparecer. O Partido, em sua opinião, não deve ser acusado de qualquer leniência contra os inimigos de classe do país ou contra os imperialistas do exterior. Uma conversa com o comandante do Exército Vermelho ilustrará melhor a atitude dos governantes da Rússia: "Devemos ser fortes e não mostrar misericórdia. Não somos um grupo de pessoas de coração terno. Não devemos hesitar, por exemplo, em esmagar os kulaks e enviá-los para cortar madeira nas florestas do Norte".*

---

* As deportações em massa de camponeses como punição coincidiram com o uso de trabalho forçado para turbinar a economia soviética, como escreveu Timothy Snyder no

FOME NA UCRÂNIA

O Plano Quinquenal

A minoria ativa acredita firmemente que, em última análise, o comunismo será vitorioso. Para alcançar essa vitória na Rússia, o método deles é o Plano Quinquenal (de 1º de outubro de 1928 a 30 de setembro de 1933), que tem um objetivo triplo — industrialização rápida, coletivização completa da agricultura e eliminação de todos os elementos capitalistas no país. A Comissão Estadual de Planejamento, em colaboração com todo o país, prepara um vasto plano para toda a nação, para cada distrito e para cada fábrica. Assim, o sistema econômico é altamente centralizado e os meios de produção na indústria já estão quase inteiramente nas mãos do Estado. Todas as energias do governo estão concentradas na execução do Plano Quinquenal, e todas as atividades nacionais, da educação à arte, estão subordinadas a um objetivo, a socialização rápida e completa da União Soviética.

Uma das principais armas nas mãos da parte ativa da população é, naturalmente, a propaganda, da qual não se pode escapar aonde quer que se vá. No trem lê-se em letras grandes: "Respondamos ao armamento furioso dos capitalistas executando o Plano Quinquenal em quatro anos". Do outro lado das ruas, estão estendidas grandes faixas vermelhas e brancas com a inscrição: "Os capitalistas do Ocidente estão preparando uma guerra contra a União Soviética" ou "Destruamos o analfabetismo". Sentados em qualquer restaurante cooperativo, vemos por todos os lados fotos de Lênin, Stalin e Kalinin*, além de apelos como: "No 1º de Maio, lembre-se dos trabalhadores oprimidos dos países capitalistas". Em uma fábrica, além de excelentes cartazes sobre saúde e acidentes, há avisos como: "Deus e o alcoólatra são os inimigos do Plano Quinquenal" ou "Todos, todos, todos, venham a uma reunião no dia 1º de agosto para ouvir um relato de um camarada da Terceira Internacional** da Alemanha e de outros países". Do lado de fora da

---

livro *Bloodlands*. "Em 1931, os alojamentos especiais e os campos de concentração foram unidos em um único sistema, conhecido como gulag. Os gulags, que os próprios soviéticos chamavam de 'sistema de campos de concentração', começaram com a coletivização da agricultura e dependiam dela. Chegou a incluir 476 complexos de campos, aos quais 18 milhões de pessoas foram levadas e destas, entre 1,5 milhão e 3 milhões morreriam durante o tempo de prisão", escreve Snyder.

* Mikhail Kalinin: metalúrgico bolchevique que se tornou o primeiro chefe de Estado da URSS. O enclave russo de Kaliningrado, entre a Lituânia e a Polônia, foi batizado em sua homenagem, em 1946.

** Terceira Internacional: também conhecida como Internacional Comunista ou Comintern, era uma organização de partidos comunistas de vários países, que funcionava sob a tutela da URSS.

Galeria de Arte Tretyakovskaya, em Moscou, o seguinte *slogan* impressiona o visitante: "A arte é uma arma de luta de classes". Na Casa dos Sovietes* estão escritas as seguintes palavras em uma faixa: "Para o capitalismo, o movimento revolucionário internacional não traz a paz, mas a espada". Finalmente, sobre a porcelana do Hotel Metrópole, frequentado principalmente por estrangeiros, estão as palavras: "Trabalhadores do mundo, uni-vos".

Além dos cartazes, existem outros métodos de propaganda mais eficazes. O teatro é um instrumento de socialização do país. A indústria cinematográfica, de cujo sucesso a URSS se orgulha com razão, tem como objetivo a difusão do comunismo. Todos os museus, que são artisticamente organizados e admiravelmente bem mantidos, ensinam o mal do capitalismo e as glórias da revolução. Mesmo uma instituição menor, como um campo de treino de tiro, deve ter seu uso político; assim, os alvos são o czar, um padre, um kulak (camponês que possui mais de três vacas), um chinês e um bêbado.

As brigadas de choque

Para acelerar a produção e realizar o Plano Quinquenal, dois métodos importantes são a brigada de choque e a competição socialista. As brigadas de choque são grupos de comunistas enérgicos e entusiastas que oferecem seus serviços gratuitamente ao Estado e que mobilizam os outros trabalhadores para realizar ou superar o plano da fábrica ou da mina. Muitos milhares foram enviados para as aldeias, onde despertam a inimizade dos camponeses por seu vigor e crueldade em forçar as famílias a se instalarem rapidamente em fazendas coletivas**. A competição socialista, pela qual fábricas ou oficinas firmam um contrato para competir umas com as outras em produção, passou a desempenhar entre os trabalhadores comunistas o mesmo papel que a rivalidade entre os times de futebol na Grã-Bretanha.

Até que ponto essas tentativas de converter a Rússia em um país industrializado foram bem-sucedidas? Em alguns ramos da indústria, a arrogância dos comunistas é plenamente justificada. O desenvolvimento da indústria da eletricidade

---

* Sovietes: os conselhos de operários que organizavam a produção e eram a base política da União das Repúblicas Socialistas Soviéticas.
** Em 1930, 71% das terras aráveis da URSS estavam atreladas a fazendas coletivas, segundo Timothy Snyder em *Bloodlands*.

é enorme e a qualidade dos materiais utilizados e dos produtos é muito melhor do que em outras indústrias. O sistema telefônico, por exemplo, funciona bem. O aumento das vendas de petróleo russo comprova o desenvolvimento do distrito de Baku*. A aviação está progredindo rapidamente e está sendo planejada uma rota aérea transiberiana que deixará Londres a poucos dias do Japão, revolucionando os serviços postais. Novas fábricas, minas e fornos estão sendo construídos em todos os lugares. A Editora do Estado criou uma rede de livrarias em todo o país com vastas vendas de livros a preços baixos.

Verdade e estatísticas

Há muitas coisas, no entanto, que os números soviéticos não mostram. As estatísticas ocultam os materiais pobres utilizados em muitas das fábricas, como a de tratores Putilov; a má qualidade dos sapatos, das roupas e de outros bens produzidos; a forma como alguns dos números são compilados e a falta de matérias-primas, meios de transporte ou engenheiros. Muitas máquinas caras importadas arruínam-se por serem tratadas com imprudência. Além disso, há um grande desperdício de inteligência, já que a empolgação política de um homem é muitas vezes mais importante do que sua habilidade para fazer negócios, e um especialista pode perder seu posto por ter pais burgueses. Para contrabalançar muitas dessas desvantagens estão a fé ilimitada, a energia, o vigor e a crueldade dos comunistas.

Apesar do sucesso alcançado em alguns ramos da indústria soviética, a Rússia continua sendo um país pobre e descontente. Nos últimos meses, o Plano Quinquenal teve de encarar um teste e em muitos distritos, especialmente na Bacia do Donets, houve muitos colapsos. As dificuldades alimentares — decorrentes tanto do abate de animais que se seguiu à violenta campanha de coletivização em janeiro e fevereiro quanto da política soviética de exportação de gêneros alimentícios para obter crédito a todo custo — já travam o progresso da industrialização, como comprova a decisão de adiar o início do Terceiro Ano do Plano de outubro para janeiro. Neste inverno, as dificuldades do Plano Quinquenal serão maiores do que nunca, pois milhares de trabalhadores já estão voltando das cidades para as aldeias e muitos se sentirão fracos demais para trabalhar.

---

* Baku: capital do Azerbaijão, então República Soviética Socialista do Azerbaijão, que existiu até 1991.

O otimismo dos comunistas ativos e sua crença de que a Rússia será próspera em um ou dois anos não pode ser justificado. Muito mais perto da verdade estão as opiniões das camadas mais baixas, dos trabalhadores e camponeses não ativos. O próximo artigo mostrará, por meio de citações de conversas reais, o quanto é grande o abismo entre os governantes e os governados e quão amplamente diferem suas expectativas em relação ao futuro.

AS DUAS RÚSSIAS. FANATISMO E DESILUSÃO

The Times

LONDRES, 14 de outubro de 1930. O artigo anterior descreveu os objetivos e métodos da minoria comunista e as opiniões dos trabalhadores ativos sobre suas realizações. As conversas registradas abaixo mostrarão o abismo crescente entre os "governantes" e os "governados" e o profundo descontentamento dos habitantes "não ativos". Há, no entanto, uma parcela da população que pertence em parte aos setores "ativos" e em parte aos "não ativos". Esses são os artesãos altamente qualificados, os engenheiros e os mecânicos, que são bem pagos, avidamente procurados e entre os quais não há desemprego. Eles são tão indispensáveis para a execução do Plano Quinquenal que recebem salários que variam de 150 rublos (equivalente a cerca de 15 libras) por mês a 250 ou 300 rublos (25 a 30 libras) e mais. Eles podem, portanto, obter alimentos, além de suas rações, dos comerciantes privados, que vendem a um preço mais alto do que nas lojas cooperativas. Assim, a menos que tenham um passado burguês, eles são felizes em comparação com o trabalhador não qualificado, que pode receber de 80 a 100 rublos (equivalente a 8 a 10 libras) por mês, mas muitas vezes recebe menos. Nessa camada intermediária da população também estão aqueles que usufruem das vantagens das casas de repouso e dos sanatórios cedidos pelo Estado.

Fé perdida

As opiniões da maioria dos trabalhadores sobre as condições de vida do Plano Quinquenal podem ser conhecidas nas seguintes conversas com os trabalhadores. Um funcionário de uma fábrica de implementos agrícolas disse: "Tudo está ruim

FOME NA UCRÂNIA

agora e não podemos conseguir nada. Não podemos obter calçados nem roupas. Os trabalhadores da minha fábrica recebem de 80 a 100 rublos (equivalente a 8 a 10 libras) por mês, e 120 rublos (12 libras) é o valor mais baixo com o qual se pode viver. Não conseguimos comida suficiente e muitos estão fracos demais para trabalhar. Meu dia é de oito horas, mas muitos trabalhadores sazonais trabalham dez ou doze horas". Um dos muitos milhares de mineiros, cuja fuga da fome e do déficit habitacional da Bacia do Donets o escritor testemunhou, expressou sua opinião sobre o que o Plano Quinquenal estava fazendo pela Rússia com as seguintes palavras: "Todo mundo está saindo da Bacia do Donets, porque aqui não há comida. Não há nada na Rússia. A situação é terrível. Tudo o que os comunistas fazem por nós é nos prometer que, quando o Plano Quinquenal terminar, seremos todos prósperos. Minha vida é como uma flor; em breve murchará. Eu quero comer e viver agora. O que me importa o que acontecerá em cem anos?".

Outro mineiro que viajava no mesmo vagão acenou com a cabeça e disse: "Há um ou dois anos, tínhamos o suficiente para comer, mas agora nada. Agora eles estão enviando todos os nossos grãos para o exterior e construindo fábricas. Por que eles não podem nos dar comida, sapatos e roupas? Eu recebo 80 rublos por mês. Como posso viver? O Plano Quinquenal não terá sucesso. Os comunistas não vão durar muito, pois não podemos mais aguentar. Você verá se não vai ter uma revolução". Esse mineiro não era o único russo que estava tão zangado com as condições atuais a ponto de falar em uma revolta, pois outros cidadãos, especialmente ao sul, falavam de revolução.

As mulheres estão igualmente descontentes com as condições de vida. Uma trabalhadora disse: "Os tempos são ruins. De 1922 até o ano passado, tudo foi satisfatório, mas agora as coisas se tornaram insuportáveis. Com o dinheiro que recebo pelo meu dia de trabalho de oito horas, só posso comprar um pequeno prato cheio de batatas e tomates ou uma pequena porção de peixe. Eu ganho 52 rublos (equivalente a cerca de 5 libras por mês). Como posso viver?". A falta de fé no futuro do Plano e a desilusão caracterizaram a conversa da maioria dos trabalhadores não ativos.

O ódio amargo aos comunistas e aos privilégios de que desfrutam era frequentemente expresso. Durante uma viagem ao sul, um trem passou pelo nosso e entraram dois homens bem-vestidos viajando de primeira classe. Uma mulher trabalhadora (cozinheira) que estava em nosso vagão gritou: "Tem um festeiro e tem outro. Ambos estão viajando suaves (na primeira classe). Eles conseguem tudo e nós temos que passar fome". Com isso, houve concordância geral entre as pessoas do vagão. "Os comunistas ficam com os melhores quartos e nós não temos nenhum. Eles simplesmente mandam alguém para as prisões de Solovki e pegam seu quarto", disse um mineiro em outra viagem.

O sonho de Stalin

Stalin compartilha da impopularidade de seu partido e a maioria dos russos evita uma resposta a qualquer pergunta sobre ele dizendo: "Se Lênin tivesse vivido, então tudo estaria bem". Uma anedota contada com um aviso de que repeti-la tornaria qualquer um culpado de ato contrarrevolucionário ilustra a atitude geral em relação ao ditador. Stalin tem um sonho em que Lênin aparece e lhe diz: "Bom dia, Stalin. Como está a Rússia?". Stalin responde: "Estamos nos dando esplendidamente bem. Nossas conquistas no Plano Quinquenal são maravilhosas". Lênin pergunta: "Mas o que você vai fazer quando o Plano Quinquenal acabar?". Stalin responde: "Ah, então teremos outro Plano Quinquenal". Finalmente, Lênin acaba com Stalin dizendo: "A essa altura, todos na Rússia terão morrido e se juntado a mim, e você será o único homem que restará para realizar seu segundo Plano Quinquenal".

[Alexei] Rykov e [Mikhail] Tomsky são desprezados por sua fraqueza no 6° Congresso do Partido Comunista [em 1928], quando mostraram humildade abjeta diante de Stalin. Muitas vezes se escutam elogios do moderado [Nikolai] Bukharin, de direita. Esta observação é frequentemente feita: "Bukharin ainda não está acabado".

Nem os métodos usados pelo Partido encontram a aprovação das massas. Os comunistas cometeram um erro tático ao abusar da propaganda. "Não lemos os avisos porque já sabemos o que está escrito neles", foi o comentário de uma professora. Um mineiro se expressou em termos mais vigorosos: "Não acredito em uma palavra do que dizem nos jornais ou nos cartazes. São todas mentiras, mentiras, mentiras. Ninguém lê os cartazes, estamos muito cansados deles".

A ação da polícia política do Estado em exilar camponeses, membros da intelectualidade, padres e burgueses para Solovki, para os Urais e para a Sibéria é condenada pela maioria dos habitantes não ativos, porque a simpatia do russo médio ainda está, como nos dias czaristas, com o menos favorecido, com o sofredor. O medo da polícia secreta fechou a boca de alguns companheiros de viagem. Diante de várias perguntas, um trabalhador especializado calou-se com a seguinte justificativa: "Tenho medo de falar com você. Muitos estrangeiros, letões e outros pertencem ao OGPU. Há espiões — a maioria dos Jovens Comunistas, por exemplo — que denunciam os outros. Você pode ser um espião".

A atual escassez de alimentos foi atribuída pela maioria dos russos a duas causas — a revolução agrícola iniciada no ano passado e a ausência de um mercado livre. Um zelador e sua esposa explicaram: "É tudo culpa dessa coletivização, que os camponeses odeiam. Não tem carne, nada. O que queremos é um mercado livre". Sobre isso, o problema mais vital de todos, é melhor deixar que os camponeses falem por si mesmos.

Embora não haja razão para acreditar que os camponeses pobres apoiem seus benfeitores comunistas, o ponto de vista do camponês médio está bem expresso nas conversas seguintes, uma com dois membros de uma fazenda coletiva e a outra com um agricultor cossaco*. "É uma vida de cachorro", concordaram os dois membros da fazenda coletiva. "Seria melhor viver debaixo da terra do que viver agora. Eles nos forçam a nos juntar a fazendas coletivas. As melhores pessoas, aquelas que trabalhavam dia e noite, foram enviadas para os Urais e para a Sibéria, e suas casas foram tiradas delas. Para que serve viver?"

O agricultor coagido

O agricultor cossaco também se queixou amargamente da política comunista. "É difícil viver. Só porque temos nossas próprias propriedades, eles tornam a vida um fardo para nós. Eu venho aqui para a cidade grande e vou a uma loja comprar alguma coisa. Eles dizem: 'Mostre-nos o seu cartão de fazenda coletiva'. Eu respondo: 'Mas eu não tenho cartão de fazenda coletiva'. Eles dizem: 'Então, não podemos vender nada'. Assim, com o tempo, terei de desistir da minha terra. Caso contrário, não poderei comprar uma única coisa e talvez eles simplesmente tirem minha casa e me mandem para a Sibéria. Na minha estação cossaca, em fevereiro, eles levaram 40 dos melhores e mais trabalhadores camponeses com suas mulheres e filhos e os enviaram em trens gelados para os Urais."

As conversas citadas acima, sobre as quais nenhum comentário é necessário, não são escolhidas por causa da oposição que expressam ao regime soviético,

---

* Cossacos: povo que habitava as planícies próximas ao Mar Cáspio e Mar Negro. Gozavam de bastante autonomia e chegaram a prestar serviços militares para o governo russo em troca de privilégios.

mas porque são típicas de opiniões ouvidas em muitas partes da Rússia. Elas provam que o governo comunista tem que enfrentar oposição e ódio cada vez maiores dentro do país. A franqueza com que muitos russos expressaram seu descontentamento é outro testemunho impressionante do quanto a opinião pública foi despertada. A influência que o estado de coisas do país provavelmente terá na tendência da política soviética será mostrada no próximo artigo.

AS DUAS RÚSSIAS. A FORÇA DOS COMUNISTAS

The Times

LONDRES, 16 de outubro de 1930. Apesar do descontentamento generalizado, o governo parece relativamente estável, pois não há oposição organizada. Qualquer tentativa de formar uma política contrária à linha geral do partido é imediatamente cortada pela raiz. O OGPU é um corpo forte, com poderes de vida e morte, que pode reprimir impiedosa e imediatamente qualquer movimento contrarrevolucionário. No entanto, levantes camponeses são possíveis, mas não são capazes de afetar seriamente a posição do governo, porque podem ser esmagados de forma instantânea. Nem os tumultos, que provavelmente ocorrerão neste inverno, causarão a queda do poder soviético, pois serão reprimidos com igual rigor.

Como o Exército Vermelho* é um exército de classe, fortemente impregnado de doutrinas comunistas, provavelmente continuará apoiando o governo e garantindo a continuidade do regime. Todos os que não vêm de origem proletária são excluídos da carreira militar, e a política é parte importante da formação do soldado. Houve, no entanto, sinais de descontentamento entre os soldados camponeses que formam a maioria das tropas. Quando, nos primeiros meses deste ano, o país estava sendo coletivizado à força, fuzis foram contrabandeados pelos soldados para seus amigos nas aldeias. Foi a atitude do Exército que fez Stalin mudar de tática muito repentinamente no início de março e condenar os excessos das autoridades comunistas locais em relação aos camponeses. Uma revolta é improvável, mas sempre existe a possibilidade, como meu informante parecia

---

* Exército Vermelho: força armada criada por Leon Trótski para lutar contra os exércitos brancos na guerra civil, que começou após a Revolução Russa de 1917. Depois, o Exército Vermelho lutou contra os nazistas na Segunda Guerra Mundial.

FOME NA UCRÂNIA

pensar, de um líder militar vermelho como o aventureiro [Vasily] Blucher, amado pelas tropas e popular na Rússia, obter o controle do Exército e expulsar o impopular Stalin.

Uma questão vital para os líderes comunistas é o suprimento de alimentos para o Exército, e a solução desse problema foi encontrada na formação de vastas fazendas estatais na Sibéria, no distrito de Volga, nas estepes não cultivadas do norte do Cáucaso e em outros lugares. Esses "Sovkhozi", operados pelas máquinas mais modernas, são escolas para a formação de mecânicos agrícolas. Cobrem uma área de mais de 2,4 milhões de acres e são estações para experimentos agrícolas e também para a produção. Em 1931, estima-se que 123 grandes fazendas produzirão 4 milhões de toneladas de grãos, e no ano seguinte a produção das fazendas do Estado chegará a 8 milhões de toneladas. Os trabalhadores dessas fazendas são pagos. Com essas "fábricas de grãos", como são chamadas, o governo tem garantido um suprimento estável de grãos e, se os planos soviéticos de construir "fábricas de suínos e bovinos" forem bem-sucedidos, haverá uma fonte regular de carne para o Exército e para as fábricas importantes.

Outra influência estabilizadora na União Soviética é o grande interesse em engenharia e mecânica. A atenção de muitos russos está sendo desviada das atividades contrarrevolucionárias para as máquinas. Ser engenheiro é a ambição da juventude russa, e sua educação está sendo conduzida em linhas técnicas.

Mudanças possíveis

Uma derrubada no sentido de uma mudança completa do regime se mostra, portanto, impossível. O caos parece ser a única alternativa ao atual governo, pois não há outro grupo fora do Partido para assumir o controle. É provável, porém, que dentro do próprio Partido haja mudanças. Os "oportunistas" de direita se farão sentir neste inverno, pois, apesar da humilhação de seus líderes Rykov e Tomsky no 16º Congresso do Partido em junho e julho passado, eles ainda são fortes entre as bases, e seu outro líder, Bukharin, é alguém com um poder a ser considerado. Seria imprudente, no entanto, subestimar a habilidade de intriga de um homem como Stalin, que foi muito forte com [Leon] Trótski; os oposicionistas de direita, contudo, teriam o apoio de uma grande proporção de ativos e não ativos. Apesar de parecerem ter sido esmagados no XVI Congresso, suas fileiras serão fortalecidas pelos sofrimentos que a Rússia padecerá neste inverno. De fato, as dificuldades dos

JORNALISMO COM MÉTODO

próximos meses podem até fazer o Kremlin perceber que uma política mais moderada deva ser adotada, que o comércio deva ser mais livre, que os camponeses não devam ser forçados a entrar nas fazendas coletivas e que as mercadorias não devam ser exportadas ao custo de ter fome no país ao mesmo tempo. Apesar dessa possibilidade, não há perspectiva de uma evolução lenta em direção ao capitalismo, como se esperava quando a Nova Política Econômica foi inaugurada.

Muito dependerá de eventos externos, tanto comerciais quanto diplomáticos. A provável reação dos países capitalistas ao *dumping* soviético* é uma questão muito complexa para ser considerada aqui, mas uma ação coordenada contra as importações baratas russas certamente dificultaria a execução do Plano Quinquenal. A política soviética de obter créditos a todo custo para comprar máquinas e construir fábricas, com o objetivo de tornar o país autossustentável, é em parte guiada pelo medo de um ataque final por parte dos países capitalistas. A ideia de que a guerra antissoviética é tão inevitável quanto a revolução mundial é tipicamente expressa na seguinte conversa com um comandante do Exército Vermelho: "A guerra está prestes a vir. É inevitável. Os britânicos podem não fazer guerra contra nós, mas certamente conseguirão que outros povos como os poloneses ou os chineses a façam".

A indústria da guerra

Atualmente, a política externa soviética é categoricamente de paz. Não há desejo de guerra e há uma vontade fervorosa de ganhar tempo para realizar o Plano Quinquenal. Enquanto uma política externa soviética pacífica pode ser prevista para os próximos dois, três ou mesmo quatro anos, é difícil ter certeza sobre os anos seguintes. Em primeiro lugar, ouve-se por todos os lados, e os comunistas não escondem, que a indústria bélica está se desenvolvendo rapidamente. A demanda soviética por níquel, que é presumivelmente para a fabricação de balas e para blindagem, é maior do que a da Grã-Bretanha. Em segundo lugar, o comunismo tem para o Exército Vermelho e para o partido a força de uma religião, e como sempre nos ensinaram o quanto o milênio está próximo, tendemos a ficar

---

* *Dumping* soviético: Jones explica o termo no final da reportagem "Mistura de sucessos e fracassos", publicada em 11 de abril de 1933, no jornal *The Western Mail*. Como o governo controlava todo o comércio, podia baixar os preços dos produtos exportados.

FOME NA UCRÂNIA

impacientes com a lentidão com que a história se move. Também não é provável que o sentimento gerado entre os jovens em relação aos imperialistas aumente a amizade com a Grã-Bretanha. "Aguarde. A revolução mundial virá, embora homens como Cook tenham se mostrado traidores da classe trabalhadora", exclamou um comunista em uma conversa particular. "Um dia os desempregados de Manchester e de Londres não pensarão em esporte, mas em revolução, e ao mesmo tempo os britânicos terão problemas em suas colônias."

A tese defendida por alguns comunistas é que a guerra virá em 1935. Até esse ano, afirma-se, o Plano Quinquenal terá levado a União Soviética a tal prosperidade que o país será capaz não apenas de fornecer bens ao seu próprio povo, mas também de exportar em quantidade a ponto de se tornar um sério rival da Grã-Bretanha e dos Estados Unidos. Os principais países capitalistas do mundo, portanto, irão unir-se para tentar esmagar os sistemas conflitantes, porque é impossível ficarem lado a lado. O comunismo acabará triunfando, pois, segundo eles, o período atual da história mundial é o da desorganização do capitalismo.

Além disso, a propaganda de guerra soviética na forma de cartazes e publicações é intensa e está afetando a juventude do país. Entre as revistas de grande circulação estão as *Soldado do Exército Vermelho, Aviação e Química* e *O Aeroplano*. A *Osoaviakhim*, isto é, a Sociedade do Clube Aéreo e da Guerra Química, tem uma extensa adesão, e suas atividades vão desde palestras sobre gás venenoso até treinamento no uso de rifles e metralhadoras para mulheres e meninas, bem como para homens e meninos.

O temor de alguns comunistas de que uma guerra leve a um levante imediato contra o regime parece infundado. Um ressentido oponente do comunismo declarou: "Eu odeio os bolcheviques, mas se a Rússia entrar em guerra, quer os bolcheviques estejam ou não no poder, eu devo lutar de uma vez, assim como todo bom russo". De fato, os rumores de guerra são muitas vezes um meio de conclamar o nacionalismo dos russos em apoio do governo e desviar a atenção das massas das deficiências da política interna, pois esse é o calcanhar de aquiles do regime comunista.

É na política interna e mais especialmente na política agrária, portanto, que virá a prova final do comunismo. A agricultura coletiva foi ajudada este ano por uma excelente colheita e, embora a arrogância dos comunistas — "dentro de três anos, não restará um único camponês individual de fora" — seja ridicularizada por aqueles que conhecem o campo russo, seria imprudente subestimar a energia das autoridades, as vantagens que são oferecidas aos membros das fazendas coletivas e as privações que os agricultores individuais são obrigados a sofrer. A agricultura em grande escala, embora odiada pela grande maioria dos camponeses, pode, com o tempo, aumentar a produção em geral. Mais comida significará melhor trabalho nas fábricas e, embora o Plano Quinquenal esteja agora cambaleando e uma série de más colheitas possa mudar toda a situação, ainda existe uma chance de que, considerando que as fazendas coletivas sejam bem-sucedidas, haja depois de dois, três ou quatro anos alguma melhoria no setor dos trabalhadores. Mas seguem as fraquezas do comunismo — ódio de classe amargo, perseguição do pensamento individual e da liberdade, esmagamento da burguesia e da intelectualidade e subordinação da arte, do teatro, da literatura e até da música aos objetivos políticos.

"Não estamos construindo para amanhã, mas para daqui a um século", exclamou um bolchevique. Os próximos 10 anos mostrarão se o comunismo aplicado na Rússia será capaz de dar um padrão de vida satisfatório a 150 milhões de pessoas. Mas todas as provas encontram-se no futuro, se em algum lugar.

Conversas com pessoas comuns

As entrevistas com russos, georgianos e ucranianos são um dos pontos mais adoráveis do material colhido por Gareth Jones. Ao visitar restaurantes cooperativos, barbearias e parques, o jornalista se mesclou aos habitantes comuns e tirou deles seus desejos, medos e piadas. Ainda que o galês seja sempre identificado como um estrangeiro, a sinceridade com que os russos falaram com ele, mesmo temendo a repressão soviética, é impressionante. Algumas dessas histórias coloriram as reportagens de Jones publicadas nos jornais, outras não foram aproveitadas e podem ser desfrutadas abaixo.

MEUS DIÁRIOS RUSSOS

The New Star

LONDRES, 22, 23 e 24 de outubro de 1930. Que confusão é Moscou! Ao me pendurar como a triste morte no bonde cheio saindo da estação, vejo algumas casas velhas precárias, caindo aos pedaços, lado a lado com arranha-céus típicos de Nova York. Efeito engraçado. Uma hora o bonde cambaleando vira uma esquina e você se encontra olhando para uma rua que parece como uma aldeia fora de mão — paralelepípedos, pessoas vestidas como camponeses. Então, de repente, você está olhando para um prédio fino modernista de linhas retas com um monte de andares. Eu estava tão imerso nesse contraste que esqueci de comprar meu bilhete. Alguém beliscou meu braço. Era uma garota com as pernas de fora e um lenço vermelho cobrindo o cabelo. "Ei, você aí, você não pagou o seu bilhete." Era a cobradora.

CONVERSAS COM PESSOAS COMUNS

"Quanto?", eu perguntei.

"Dez copeques*."

Eu enfiei a mão na minha carteira e não consegui achar um troco. "Não tenho nenhum troco", eu disse. Ela levantou os ombros e se virou. "Ninguém tem troco", e não me incomodou mais.

Então eu fiz a minha primeira viagem de bonde em Moscou de graça.

* * *

Um professor americano me disse no dia seguinte que ele pegou uma carruagem da estação para o hotel. Era só a distância equivalente a ir da Charing Cross para o Hyde Park [em Londres], e ele pagou mais de duas libras [20 rublos ou 2 mil copeques] pela viagem.

* * *

Como seria uma barbearia na república dos trabalhadores? Eu queria muito fazer a barba, então fui num pequeno prédio de madeira que tinha as palavras "fazedor de perucas" escritas nele. Deixando minha mala no canto, eu sentei na cadeira do barbeiro. Ele me cobriu com espuma, então se curvou e me perguntou em russo: "Você tem uma lâmina?". "Sim, eu tenho uma lâmina." Ele ficou animado, e então eu escutei o mais estranho pedido que alguém pode ouvir numa barbearia. "Você me venderia sua lâmina?", ele sussurrou no meu ouvido. "Mas você é um barbeiro. Você deveria me vender uma lâmina, não comprar uma de mim", eu disse.

"Bem, eu quero uma lâmina nova. Todas as lâminas são ruins. Elas não cortam, então não tenho como ganhar a vida. Veja você, sou um comerciante privado. Eu não pertenço a uma dessas sociedades cooperativas novas, como aquela do outro lado da rua chamada Barbearia Caminho para a Nova Vida. Mas, por favor, me venda a sua lâmina."

"Sinto muito, mas eu só tenho esta lâmina, por segurança", eu respondi.

Ele quebrou a cara. E me barbeou em silêncio.

Ele estava mais interessado em lâminas do que no comunismo.

---

* Copeques: centavos. Cada rublo vale 100 copeques.

FOME NA UCRÂNIA

* * *

Conheci um piadista hoje. Eu estava sentado em um banco debaixo de uma árvore e olhando para as paredes vermelhas do Kremlin, uma fortaleza vasta e antiga no centro da cidade. Perto de mim havia um homem, com olhos estreitos e brilhantes, muito asiático, com cabelos pretos e um pequeno boné redondo bordado. Nós começamos a papear, o que me mostrou como era fácil entrar em uma conversa na Rússia. Ele tinha um grande senso de humor, e, à medida que falava, seus pequenos olhos negros cintilavam.

"Oh, sim, nós russos temos piadas. Se estamos com fome, fazemos piada sobre isso. Se não conseguimos ter roupas ou sapatos, isso não nos impede de rir. Mas nossas piadas mais engraçadas são da Armênia."

Eu entendi que histórias eram contadas sobre os armênios, assim como eram contadas sobre os aberdonianos*.

O homem com os olhos asiáticos continuou. "Os armênios sempre estão fazendo charadas. Então, aqui vai uma boa. O que é que fica pendurado no muro, é verde e grasna? Agora tente responder essa."

Era uma pergunta enigmática e eu não consegui responder. "Eu desisto", disse.

"O quê, um arenque, é claro", ele disse, e explodiu em risadas altas.

"Um arenque?", eu perguntei. "Mas por quê? Por que está pendurado no muro?"

"Ah, é porque um camponês o pendurou no muro."

"E por que é verde?", foi minha pergunta. Ele respondeu: "Ah, é verde porque o camponês o pendurou no muro faz muito tempo".

"Mas um arenque não grasna", eu disse.

"Ah", ele balbuciou em sua risada. "É para tornar mais difícil. Eles têm piadas finas, os armênios."

Não admira que os turcos os tenham massacrado**, eu pensei, depois de ter apertado as mãos da minha companhia e ter caminhado para o Tverskaya, na rua Regent, em Moscou.

* * *

---

* Aberdonianos: habitantes de Aberdeen, cidade da Escócia.
** Jones se refere ao Genocídio Armênio, em que o Império Otomano massacrou 1,5 milhão de armênios entre 1915 e 1923. A tragédia levou à criação do termo "genocídio".

CONVERSAS COM PESSOAS COMUNS

Você não entende o maravilhoso sentido de direção dos londrinos até ser levado em um carro pelas ruas de Moscou. O condutor corre a uma velocidade vertiginosa pelos paralelepípedos. Homens e mulheres se espalham à sua frente como um rebanho de ovelhas. Todos andam na pista. Ninguém olha em volta para ver se outro veículo está vindo. Quando um vem, o pedestre voa aqui e acolá, gritando e berrando. Era estranho que nosso rastro não estivesse repleto com dúzias de corpos.

* * *

Hoje trabalha-se, como de costume, em todos os lugares. Não tem domingo aqui. "Que dia da semana é hoje, por favor?", eu perguntei a um jovem trabalhador. Ele respondeu: "Me desculpe. Eu não sei. Eu sei a data, mas se é segunda ou sexta, quarta ou sábado, eu não faço ideia. Nós tínhamos a semana de cinco dias, agora só lembramos as datas. E, claro, nossas fábricas funcionam o tempo todo".

* * *

Parece que o esforço comunista para criar o homem das massas terá um oponente teimoso na força da vaidade e da beleza. Eu vi um toque humano em um restaurante hoje que poderia me incomodar em Londres, mas que me encantou em Moscou.

Notei um pequeno restaurante cooperativo em uma ruela, entrei andando, fiquei na longa fila costumeira, comprei o tíquete para a sopa e para o pão e sentei em um lugar debaixo de uma foto de Lênin e Stalin.

Da minha mesa, eu podia vislumbrar o espelho do quarto onde as garçonetes deixavam seus chapéus e casacos. Quando estava tomando minha sopa de repolho, pude ver o reflexo de uma garota soviética real colocando batom nos lábios. Agora haveria uma desculpa para abusar do vermelho na capital dos trabalhadores. Mas ela seguiu adiante e encheu a face com pó branco.

Como o batom e o pó não foram aplicados com destreza, esse procedimento, na Inglaterra, não seria aprovado com satisfação por alguém criado no puritanismo, mas aqui em Moscou isso aqueceu meu coração, porque era tão humano, tão feminino, em um país onde o cuidado pessoal é desencorajado e onde a máquina às vezes é colocada em um nível acima do ser humano.

* * *

Ainda há diversão na Rússia soviética. Uma mulher estava limpando as ruas empoeiradas de Moscou com uma mangueira. Crianças ágeis pulavam para fora do caminho. Pessoas velhas a abordavam com cuidado. Então veio um jovem amigo animado, com sua camiseta russa, que gritou: "Você não é boa nisso. Este não é o jeito de se fazer isso, velha".

Ela se virou com um sorriso largo e berrou: "Então esse não é o jeito de fazer isso, certo? Vou te mostrar como é".

Imediatamente, um banho de água foi direto na direção do piadista, que saiu correndo para baixo da rua, em parte xingando, em parte rindo.

Moral da história: nunca brinque com uma mulher com uma mangueira.

* * *

Em um restaurante cooperativo, a garçonete, que tinha entre 30 e 40 anos, se interessou bastante por mim porque eu era estrangeiro. Eu estava tomando uma sopa fervente e gordurosa de batata, que eu tinha ganhado merecidamente após ficar quinze minutos em uma longa fila para conseguir o meu cartão da sopa, quando ela chegou perto de mim e disse: "Você já esteve em Nova York?".

"Não. Por quê?", eu perguntei.

"Eu tenho um irmão em Nova York e quero ir para lá. Eu tentei e tentei, mas eles não vão me deixar sair do país, nem ninguém mais, por causa disso. Eu não gosto de viver aqui. A comida é ruim. Eu estaria melhor se pudesse ficar com meu irmão nos Estados Unidos."

* * *

O circo foi muito divertido, uma apresentação excelente, não tão boa como em Olympia, mas muito agradável. Foi como um circo em Londres, Paris, Berlim ou qualquer outro lugar. Os palhaços estavam vestidos do mesmo jeito e faziam até as mesmas piadas. "Você está bêbado?", perguntou um palhaço para o outro, que estava cambaleando em cima de uma cadeira. "Não, é a cadeira que está bêbada", ele respondeu.

Seria possível pensar que se está em Birgmingham ou Cardiff, se não fossem pelas faixas brancas e vermelhas esticadas atrás da tenda com as palavras: "Vamos fazer o plano Quinquenal em quatro anos", e se não fosse pela multidão eclética.

No circo, eu sentei do lado de um garoto de uns 14 anos com muito cabelo e um rosto muito agradável. Nós explodimos em gargalhadas juntos quando os comediantes estavam apresentando suas palhaçadas, e nossas risadas nos aproximaram.

"Você gostaria de ir para a Inglaterra?", eu perguntei a ele.

"Ah, não, nunca", ele respondeu, com muita certeza.

"Por que não?"

"Você não sabe, é um país capitalista. Eu nunca vou querer ir para lá", ele disse em um tom de choque. "Há muita opressão nos países capitalistas. Tenho certeza de que não é bom lá."

Nós continuamos amigos, mesmo quando eu disse para ele que eu era daquela terra capitalista. Nosso aperto de mãos foi caloroso na despedida, depois de os cavalos deixarem a arena e de as vozes dos palhaços terem se silenciado.

* * *

Os moscovitas terão de aprender a desviar do tráfego de automóveis, porque já há muitos Rolls-Royces passando por carroças sujas e aos pedaços. Fords correm pelas pedras. Há buracos nas ruas, pelo menos naqueles lugares que não foram reparados. Moscou está aproveitando a oportunidade para consertar e até asfaltar muitas de suas ruas, antes que o inverno chegue e antes que as ruas se tornem uma camada branca pisoteada.

* * *

Um dia, passei por uma igreja cujo domo brilhante dourado brilhava com o sol. A porta estava aberta, então eu entrei. Enfeites de todas as cores cintilavam ao redor. À frente de um altar, um padre velho conduzia o culto. Não havia cadeiras. Um pequeno grupo de pessoas permanecia ali reverentemente e fazia o sinal da cruz, do jeito ortodoxo. Algumas mulheres camponesas se prostravam no chão e tocavam a pedra fria do piso com suas têmporas. Uma mulher pobre estava beijando um ícone e forçando um bebê gritando a imitar seu gesto. O bebê resistia com vigor. Por trás do altar, algumas vozes masculinas lindas se levantaram cantando em harmonia. Velas queimavam.

FOME NA UCRÂNIA

* * *

Enquanto eu assistia ao culto, duas garotas entraram. Elas tinham entre 14 e 15 anos, cabelos curtos e pareciam ser comunistas. Chegaram e começaram a olhar para a cerimônia de um jeito jocoso e blasé, como se estivessem assistindo a uma brincadeira de criança à qual eram muito superiores para jogar. Então, elas viraram uma para a outra e explodiram em um ataque de riso, voltaram para a porta, deram uma última olhada para aquele povo medieval que ainda acredita em Deus e saíram, sorrindo. As duas tinham uma atitude do tipo "nós sabemos de tudo sobre essa coisa de religião e isso é podre".

* * *

Hoje vi em uma loja algumas vendas de livros de Edgar Wallace*, e não muito tempo depois vi um trabalhador soviético imerso em *The Ringer* — ao menos, eu acho que era *The Ringer*, mas não consegui ver seu exemplar claramente.

* * *

Framboesas! Uma mulher camponesa tinha uma cesta. "Muitas framboesas boas!", ela disse, olhando para mim com olhos apelativos. Então eu comprei 200 gramas. "Aqui está, vou embrulhá-las para você." Eu olhei para o papel do embrulho e vi, para minha surpresa, que era uma folha da revista *Pearson's*.

Virei para ela e disse: "Parece uma linguagem engraçada, não é? Sabe o que é?".

Ela respondeu: "Eu não sei. É tudo igual para mim. Só preto e branco. Não sei ler".

* * *

Que estranha imagem da Inglaterra os russos devem ter. Hoje, um russo me perguntou: "Há muitos comunistas na Inglaterra?".

"Não, não muitos. Existem cerca de 3,5 mil membros do Partido."

"Arrá!", ele disse. "Eu sei por quê."

"Por quê?"

---

* Edgar Wallace: autor britânico de romances policiais e de suspense, como *The Ringer*.

CONVERSAS COM PESSOAS COMUNS

"Eles foram todos jogados na prisão bem rápido."

"Claro que não", eu respondi. "Essa é uma coisa da qual nós britânicos nos orgulhamos muito. Uma pessoa pode ter as opiniões que quiser. Se você é comunista, pode ir para um lugar como o Hyde Park e dizer o que quiser."

"Você acha que eu vou acreditar nisso? Eles estão todos na prisão." Então veio o golpe final, quando ele disse com um sorriso espertalhão: "Ah, eu ouvi sobre a Torre de Londres*".

* * *

É difícil comprar muitas coisas em Moscou. Os calçados são raros; as roupas, muito escassas e há falta de muitos produtos. Isso ficou claro para mim com uma história que escutei esta noite. "Escutou esta?", disse um pequeno russo com quem eu conversava em um parque. "Você sabe que estamos mecanizando tudo. Nós estamos colocando máquinas aqui e máquinas acolá. Nós estamos poupando trabalho. Nosso lema é mais mecanização."

"Sim, eu vi alguns exemplos dessa sua mecanização", eu disse, seriamente, sem perceber que ele estava me conduzindo para uma piada.

"Bem, você não viu o lugar sobre o qual vou te contar agora, mas é um lugar maravilhoso de mecanização. Esse lugar é uma grande loja com dezenas de departamentos: um de calçados, um de roupas e um de comidas. E, apesar do seu tamanho, nós introduzimos essa mecanização e só é necessário um homem para administrar toda a loja."

"E o que ele faz?", eu perguntei, ainda muito sério. "Ah, ele fica na frente da porta dizendo aos clientes que não tem nada para vender."

* * *

Desci por uma típica rua de paralelepípedos esta manhã. Quase todas as lojas, exceto algumas oficinas sujas, eram "cooperativas", e tinham a usual longa fila de mulheres com cestas. "Você não está na ordem correta, você furou a fila", gritou uma mulher de rosto vermelho para uma magra.

"Você é uma mentirosa. Eu estou aqui desde as seis da manhã", foi a resposta.

---

* Torre de Londres: castelo no centro da capital britânica, que foi usado como castelo real e como prisão até 1952.

FOME NA UCRÂNIA

Pendurado na janela havia um aviso: "Hoje não tem leite". Mais adiante, em uma cooperativa de açougueiros, vi umas palavras escritas à mão de forma desarrumada. "Carne hoje só em pequenas porções para pessoas com tíquetes de trabalhadores manuais e para crianças."

Não importa que os falsificadores de tíquetes de trabalhadores manuais estejam fazendo um comércio estrondoso!

* * *

Hoje eu vi em um grande restaurante cooperativo, localizado em um maravilhoso Parque da Cultura e do Descanso, o seguinte aviso:

COMPORTE-SE NAS MESAS
- Lave as mãos antes de comer.
- Não coloque seu chapéu na mesa.
- Não se sirva de sal com os dedos.
- Não compartilhe o mesmo prato com outra pessoa.
- Não espalhe migalhas e bitucas de cigarro na mesa.
- Não cuspa ou brigue durante as refeições.

* * *

Eu estava pensando, enquanto o bonde viajava para a estação, se daria tempo de pegar o trem. Então, olhei para o meu relógio. Uma mulher gorda perto de mim falou: "Tome muito cuidado com o relógio. Eles são um bando de ladrões desta cidade. Vi que você é um estrangeiro e só estou o avisando".

Então começou um tumulto dos trabalhadores em volta protestando. "O que você quer dizer com chamar a gente de ladrões? Cale a boca, sua velha. Ladrões, olha só. Segure sua língua, gorda!"

Ela tinha uma resposta pronta. "Claro que eles são um grupo de ladrões. Eu não quero dizer você. Mas meu primo teve seu cartão de racionamento roubado ontem. E posso lhe dar mais um monte de outros casos." Ela então se virou para mim. "Seja cuidadoso, jovem. Não sei se você é alemão ou inglês, ou o que você é. Mesmo assim, escute o meu conselho e não tire o olho do seu relógio."

* * *

CONVERSAS COM PESSOAS COMUNS

Quem se lembra hoje na Inglaterra de que soldados britânicos ocuparam a Geórgia*? Mas esse fato é martelado todo dia na Rússia, o de que capitalistas ingleses ordenaram que seus soldados atirassem em 14 comissários soviéticos em Baku.

* * *

"Em nenhuma ocasião repita esta história", disse o homem no trem, "ou você vai ter problemas. É contrarrevolucionária."

O trem estava viajando através das estepes monótonas sombrias do Norte do Cáucaso, e eu já tinha conversado com esse georgiano** por bastante tempo. Ele também tinha me dado um pouco de pão e tomates, porque eu estava com fome.

"É uma história sobre o ditador Stalin", ele continuou. "Aqui vai ela. Um piloto estava voando em um hidroavião quando, de repente, olhou para baixo e viu no mar um homem se afogando, movendo os braços de maneira frenética. O avião mergulhou e chegou bem a tempo de tirá-lo da água. Quando o homem estava pingando no hidroavião, o piloto olhou para ele e, para sua surpresa, viu que não era outro senão Stalin, o homem mais poderoso da Rússia.

"Então, Stalin apertou sua mão calorosamente e disse: 'Você é um homem corajoso. Você salvou a minha vida. Você merece uma recompensa. Pode fazer qualquer pedido, e, qualquer que seja ele, será realizado'.

"O piloto coçou a cabeça e pensou. Então, ele disse: 'Bem, só tenho um favor para pedir. Eu quero algo, e isso é muito importante. Pelo amor de Deus, não diga a nenhuma alma que eu o salvei, ou minha vida não valerá a pena ser vivida'."

* * *

O jovem comunista tem uma ideia de que os ingleses são pessoas astutas, engenhosas e cruéis e que uma grande proporção deles usa cartolas e monóculos. A classe alta inglesa, na opinião deles, está sempre planejando desferir uma guerra contra a Rússia Soviética. Para ter sucesso nessa guerra, eles estão manipulando a Igreja e os socialistas como se fossem ferramentas.

---

* A Geórgia, país do Cáucaso, aliou-se à Alemanha durante a Primeira Guerra Mundial. Após a derrota dos alemães, tropas britânicas entraram no país, com autorização do governo local.

** O ditador Josef Stalin era da Geórgia.

FOME NA UCRÂNIA

* * *

Gostei muito de correr para conseguir pegar o bonde esta tarde. Eu me segurei na parte de trás, com uma perna no para-choque e outra pendurada no ar. Uma mão pegou o trilho, a outra segurava um pedaço de pão que eu estava comendo enquanto viajava para Rostov. Então o bonde parou e um vendedor de jornais subiu no bonde com o *Trabalho,* o diário de Rostov. Ele estava gritando: "Nove homens fuzilados por guardar pequenas moedas. Nove homens fuzilados por guardar pequenas moedas".

* * *

Nesta manhã, eu fiz o meu caminho pelas multidões que vão às compras na pequena quadra do mercado a céu aberto onde os comerciantes privados, desaprovados pelos bolcheviques, vendem suas coisas. Havia um velho par de calças por 50 rublos. "Compre um pouco de carne. Dois rublos por meio quilo!", gritou um açougueiro para mim, espantando as moscas dos pedaços sujos de osso e carne espalhados sobre seu cavalete de madeira.

Uma camponesa se sentou no chão com uma pequena pasta do tipo que se vê em Woolworth. Uma pequena multidão a cercou. Pulando sobre as pessoas, eu vi que o conteúdo eram dois ou três pedaços de manteiga. "Quanto?", gritou alguém. "Manteiga fina, oito rublos por meio quilo", ela disse. A maioria das pessoas deu de ombros e saiu andando.

* * *

Um grande evento. Consegui um lugar no bonde e passeei por uma grande parte de Moscou; ao longo do rio, após a muralha, castelos e igrejas da fortaleza do Kremlin, o centro mais impressionante de qualquer cidade que eu tenha visto.

Em vez de "fume Abdullas" ou "Compre produtos britânicos", os anúncios publicitários estavam cheios de pôsteres de propaganda chamativos. Um dizia o seguinte:

VAMOS RESPONDER AO EXÉRCITO FURIOSO DOS CAPITALISTAS FAZENDO O PLANO QUINQUENAL EM QUATRO ANOS!

CONVERSAS COM PESSOAS COMUNS

Poeira voava sobre a cidade. Olhando pela janela, enquanto o bonde trepidava, eu vi um cartaz de cinema com um rosto familiar. Quem seria? Então, logo abaixo, eu li: "Syd Chaplin*".

* * *

Moscou é uma cidade de contrastes. Hoje eu fui ver alguns apartamentos de trabalhadores que foram construídos recentemente e acabaram de ser ocupados. Uma mulher cujo apartamento nós visitamos parecia muito agitada e animada com a presença de estrangeiros. Então eu vi na sala de estar o mais estranho dos contrastes. Alguém nunca esperaria que uma pessoa religiosa admiraria o homem que disse "religião é o ópio do povo". No entanto, havia na parede um ícone com a imagem de Cristo e na mesa do escritório uma imagem de Lênin!

* * *

Eu garanto que o Museu da Revolução pode transformar uma pessoa mediana desconectada em um bolchevique ferrenho em poucos minutos. Os revolucionários do mundo são apresentados em cores vibrantes, como os heróis da civilização. Os seus métodos, planos, bombas, cartas, jornais, punhais e fotografias são mostrados tão habilmente que, se não fosse por um evento, eu poderia voltar para Londres determinado a destruir a constituição britânica com o mais asqueroso dos meios repugnantes.

O que me salvou foi a entrada no Museu da Revolução de um colega escocês, vestido com um terno da Savile Row**, carregando um guia vermelho e uma câmera. Eu sempre associei esse amigo ao café da manhã que ele costumava preparar na dispensa de Cambridge, com piadas espirituosas em uma sociedade de debates chamada "Magpie and Stump" e com passeios a dois ao longo das estradas planas de East Anglia. Mas aqui ele estava em pessoa na casa da revolução!

Talvez a minha presença também tenha salvado meu colega de sair daquele edifício como um entusiasmado conspirador vermelho, é que os museus na Rússia soviética são tão maravilhosamente organizados e tão extremamente eficientes que eles deixaram um efeito profundo em mim.

---

* Syd Chaplin, meio-irmão do diretor e comediante Charles Chaplin, era um ator inglês.
** Savile Row: rua de Londres famosa pelos seus alfaiates.

49

A ambição soviética

Em setembro de 1930, depois de já ter ido para a URSS, Gareth Jones foi procurado pelo publicitário americano Ivy Lee. Considerado um dos fundadores da atividade de relações públicas moderna, Lee tinha um escritório em Nova York e pretendia escrever um livro sobre a União Soviética, com o título provisório de *E a Rússia agora?* Como um dos clientes de sua empresa vendia petróleo russo para a Ásia, ele tinha interesse em promover boas relações entre os Estados Unidos e a União Soviética. Lee também tinha uma opinião favorável aos comunistas.

O empresário queria que o jovem jornalista o ajudasse com a redação do livro, escrevendo relatórios de política externa. Jones teria de estudar sobre a Revolução Russa e as políticas de Lênin nas bibliotecas de Nova York. Além disso, deveria acompanhar a imprensa russa. O galês aceitou o convite, animado.

Antes de assumir seu novo posto nos Estados Unidos, em abril de 1931, Jones seguiu trabalhando para Lloyd George. Nesse período, escreveu mais algumas reportagens sobre sua experiência na Rússia soviética. Uma série de cinco matérias anônimas foi publicada no jornal *The Western Mail*, do País de Gales. Por não assinar as reportagens, Jones se refere a si próprio em terceira pessoa, como "um galês".

O PLANO QUINQUENAL DOS COMUNISTAS

The Western Mail

CARDIFF, 7 de abril de 1931. Dois homens estavam no telhado de um arranha-céu cinza de linhas retas em Moscou. Um deles era um comunista russo alto e moreno, com olhos puxados, semiasiático. O outro era um galês parecido com qualquer outro galês nas ruas de um porto de Glamorgan* ou de uma cidade mineira. Um deles havia sido educado na Academia Comunista de Moscou; o outro tinha frequentado uma escola primária e secundária no País de Gales. O russo passou treze anos em um Estado revolucionário que estava construindo o socialismo. O galês viveu em um Estado capitalista onde as lojas e as fábricas, as minas e a ferrovia eram administradas pela iniciativa privada.

O que o comunista disse

O comunista virou-se para o galês e disse: "Você é um homem do passado. Eu sou um homem do futuro. Você pertence ao mundo capitalista, que está decaindo rapidamente. Eu pertenço ao mundo comunista, que logo triunfará. Olhe para Moscou ao nosso redor. O que você está vendo é simbólico da tendência da história mundial. Vou lhe dizer o porquê".

Os dois homens olharam para a Capital Vermelha que se estendia por todos os lados. Eles viram algumas cabanas de madeira decadentes ao lado de uma nova estação elétrica. Ao Sul, perto do rio, as antigas torres e pináculos do Kremlin — a grande cidadela bem-guardada no centro da cidade — se destacavam. No pináculo mais alto flutuava uma grande bandeira vermelha com uma foice e um martelo amarelos em um canto. Um deslumbrante arranha-céu branco recém-construído, uma façanha da engenharia do século XX, contrastava com os edifícios russos da Idade Média.

O jovem bolchevique continuou: "O velho e o novo estão lado a lado e o novo está triunfando. Ao lado dos casebres de madeira do passado está o arranha-céu moderno do regime comunista. Aquela estação elétrica ali simboliza os esforços da revolução bolchevique para construir uma nova e industrializada Rússia, onde a máquina tomará o lugar de Deus".

---

* Glamorgan: região rica em minérios do País de Gales.

FOME NA UCRÂNIA

O terceiro ato do drama da revolução

Ele fez uma pausa e seus olhinhos asiáticos brilharam de excitação e entusiasmo, revelando um vislumbre do fanático. Ele continuou: "Isso é o que estamos fazendo com a Rússia e vai abalar o mundo inteiro em suas bases. A revolução mundial vai estourar. O globo se tornará a União Mundial das Repúblicas Socialistas Soviéticas. Guarde minhas palavras. Nem um único homem ou mulher, seja na Nova Zelândia, na China ou no País de Gales, ficará intocado pelo que está acontecendo hoje na Rússia. Vamos provar ao mundo que o comunismo pode construir um Estado poderoso e próspero. Você sabe qual é a nossa arma? É o nosso Plano Quinquenal".

O Plano Quinquenal inicia o terceiro ato do emocionante drama da Revolução Bolchevique.

O primeiro ato começou com o estrondo das armas e o sangue de novembro de 1917*, quando estourou a revolução. Era o período do comunismo militar. Havia guerra por todos os lados — contra os brancos**, contra os aliados, contra os poloneses. Um terror implacável enviou milhares para a morte. Os comunistas colocaram em prática os seus princípios abolindo os bancos, o dinheiro, o comércio privado e impedindo os camponeses de venderem seus cereais, a não ser para o Estado. A cortina do primeiro ato desce sobre os corpos de milhões de russos mortos ou morrendo na terrível fome de 1921***.

Então veio o segundo ato, a recuperação, entre 1921 e 1927. Lênin, o realista, fez um compromisso com o capitalismo e permitiu que camponeses e lojistas vendessem seus produtos abertamente e tivessem lucro. Isso é a chamada Nova Política Econômica (NEP). No meio desse ato, houve uma cena pungente quando o grande Lênin morreu, em janeiro de 1924.

O terceiro ato começou em 1928 e foi o período de reconstrução ou o Ato do Plano Quinquenal. Esse plano é, na realidade, uma nova revolução, uma revolução que vai durar um período de cinco anos.

---

* Em outubro, no calendário russo
** Brancos: lutaram contra o Exército Vermelho na guerra civil que se seguiu à Revolução Russa de 1917.
*** Fome de 1921: cerca de 5 milhões de camponeses morreram como consequência de diversos fatores, como uma seca, a queda na produção após a Primeira Guerra Mundial e a guerra civil que se seguiu à Revolução Russa de 1917.

A AMBIÇÃO SOVIÉTICA

Um movimento de alcance mais longo

Não é tão dramático quanto o show e a luta de 1917, mas é mais abrangente em seus efeitos. Essa revolução do Plano Quinquenal está agora agitando profundamente toda aldeia, toda rua, toda fábrica e afetando a vida de todo homem, mulher e criança na União Soviética.

Em 1927, o Partido Comunista considerou que o nível geral de produção era quase o mesmo de 1913. Mas, para o horror dos bolcheviques, o capitalismo estava crescendo no país. O comércio privado, em oposição às lojas cooperativas de Stalin, ainda era poderoso. Pior de tudo, a revolução tinha transformado os camponeses em pequenos proprietários capitalistas. As grandes propriedades que produziram milhões de toneladas de grãos para exportação foram divididas em inúmeros pequenos lotes. As vastas extensões de terra que costumavam abastecer as cidades e o Exército com comida foram divididas. A revolução comunista causou o aumento do capitalismo! Isso levou a uma escassez de grãos, pois é difícil coletar grãos de 26 milhões de pequenos proprietários diferentes. O que abriu portas para o aumento da força da classe capitalista de camponeses mais ricos, os kulaks, que odiavam o comunismo.

O grito ecoou entre os comunistas: "Chegou a hora da mudança! Avante para o comunismo puro! Chega de compromisso com o capitalismo. Devemos tentar introduzir o comunismo dentro de cinco anos. Devemos construir um Estado industrial forte e transformar os milhões de minifúndios de camponeses em vastas fazendas socialistas".

Trazendo isso para casa ao sul do País de Gales

Especialistas e cientistas apressaram-se em todas as partes da União Soviética. Foram realizadas conferências para planejar a vida do Estado comunista para os próximos cinco anos. Isso foi feito sob os auspícios da Comissão de Planejamento Estatal. Eles elaboraram um plano tremendo para o desenvolvimento de toda a União Soviética.

Imagine uma comissão reunida em Londres com plenos poderes para fazer o que quisesse para transformar toda a Grã-Bretanha. Eles poderiam dizer: "Dez novas fábricas devem ser construídas em Cardiff dentro de dois anos. Uma ferrovia deve ser construída entre Swansea e Caernarvon em 1932. Oitenta e cinco por cento das minas do sul do País de Gales devem receber as máquinas mais novas em 1º de março. Carmarthen deve produzir 46.824 toneladas de grãos dentro de dez meses. Cinquenta e quatro mil mineiros galeses devem ser enviados para a África Oriental até 1º de dezembro deste ano".

Imagine essa comissão calculando exatamente o que deve ser produzido em calçados, carvão, ovos, fósforos, manteiga, aço, navios e semeadeiras por um período de cinco anos! É isso que o Plano Quinquenal está tentando fazer pela Rússia.

Os motivos políticos e econômicos

O *Pravda** o descreve assim: "O Plano Quinquenal é uma parte importante da ofensiva do proletariado do mundo contra o capitalismo; é um plano que busca minar a estabilização capitalista; é um grande plano de revolução mundial".

Essa é a motivação política do plano.

Mas, atualmente, o motivo econômico parece muito mais vital para a maioria dos comunistas. Eles querem construir uma nova Rússia. Pretendem planejar os destinos de 153 milhões de pessoas. Almejam construir fábricas aqui, siderúrgicas ali. Querem ir a todo vapor para transformar a União Soviética em um Estado socialista rico e industrializado. Eles têm a intenção de transformar a Rússia atrasada em uma versão comunista dos Estados Unidos. "Nós vamos vencer a América!"

Esse é o grito de guerra do comunista.

O FUTURO DA RÚSSIA

The Western Mail

CARDIFF, 8 de abril de 1931. O 1º de outubro de 1928 foi um dia memorável na história da União das Repúblicas Socialistas Soviéticas. Trata-se da data em que o Plano Quinquenal foi lançado. As expectativas dos comunistas eram altas. Embora eles fossem apenas 1,5 milhão de uma população de mais de 150 milhões, eles estavam determinados a transformar a Rússia em um Estado comunista industrializado.

---

* *Pravda*: jornal oficial do Partido Comunista da União Soviética.

A AMBIÇÃO SOVIÉTICA

Aonde quer que se fosse, viam-se enormes faixas estendidas de um poste a ou-tro, do outro lado da rua, com as palavras: "Respondamos ao furioso armamento dos capitalistas executando o Plano Quinquenal" ou "Deus e o alcoólatra são os ini-migos do Plano Quinquenal". Os cinemas tinham filmes explicando o plano.

Nas esquinas, nas fábricas, nas aldeias, os comunistas faziam discursos às multidões e falavam dos três objetivos principais do plano e como seu cumpri-mento lhes traria saúde e felicidade e os salvaria de serem atacados e assassina-dos pelo estrangeiro que esperava para se lançar sobre a Mãe Rússia.

O que os trabalhadores fizeram

Isto é o que os operários, os camponeses, os professores e os mineiros apren-deram ouvindo, de boca aberta, os oradores bolcheviques. Eles aprenderam que o Plano Quinquenal tinha três grandes objetivos. Em primeiro lugar, con-verteria a Rússia do camponês na Rússia do mecânico; industrializaria a Rús-sia e instalaria fábricas e minas em todos os lugares. Em segundo lugar, transformaria os milhões de lotes de propriedade privada dos pequenos cam-poneses em grandes fazendas socialistas, onde a terra seria de propriedade co-mum e onde o trator e as máquinas mais modernas duplicariam ou triplicariam a quantidade de grãos produzidos. Em terceiro lugar, exterminaria todos os elementos capitalistas. Isso significava que, em 1933, todo vendedor ambu-lante, lojista, barbeiro, alfaiate que trabalhasse ou vendesse para o próprio lu-cro, e não para uma loja do Estado ou cooperativa, desapareceria. Isso significava também que o camponês individual que tivesse sua própria terra não existiria mais.

O maior de todos

Com seus três objetivos — a industrialização da Rússia, a socialização da agricul-tura e o extermínio do comerciante privado —, o Plano Quinquenal é a revolu-ção mais completa que já foi tentada na história do mundo.

O que ele busca alcançar no campo industrial é estupendo. São estabeleci-dos os números exatos de qual deve ser a produção em cada ano até 1933. Se toda a ousadia do esquema não fosse de tirar o fôlego, poderíamos ser compelidos a rir de algumas de suas estipulações. Por exemplo, foi estabelecido que o número médio de ovos consumidos per capita pelos moradores das cidades entre 1º de outubro de 1932 e 30 de setembro de 1933 seria de 155. A permissão para comprar calçados deveria aumentar de 0,40 par por pessoa em 1927-28 para 0,74 par por pessoa em 1932-33!*

Em outros ramos da indústria, o progresso planejado é enorme.

Sobre o carvão

Pegue o carvão. Em 1913, a Rússia produziu 29 milhões de toneladas de carvão. No ano anterior ao Plano Quinquenal, esse número havia aumentado para 35 milhões de toneladas. Até o final do Plano Quinquenal está prevista a produção de 125 milhões de toneladas de carvão! Isso é quase cinco vezes mais do que em 1913! Este ano o número deve saltar para 83 milhões de toneladas.

A Bacia do Donets ocupa o primeiro lugar nos planos de carvão soviéticos. Sua produção deve aumentar de 27 milhões de toneladas em 1927-1928 para 70 milhões de toneladas em 1933. A Bacia do Donets assumiu assim a tarefa de mais do que dobrar sua produção de carvão em alguns anos. Um imenso programa de construção está sendo executado; dezessete novos grandes poços foram perfurados recentemente. Até o final do Plano, 50 grandes novas minas estarão em processo de construção. A própria face da Bacia do Donets deve ser mudada. A mecanização deve avançar a todo vapor e um grande programa habitacional deve ser executado.

Em seguida, vem o que é conhecido como o gigante adormecido da Rússia, a Bacia de Kuznetz, na Sibéria. Sua reserva de carvão é estimada na incrível cifra de 300 bilhões de toneladas. Oito novas grandes minas devem ser construídas na Bacia de Kuznetz. Sua produção será pequena no final do plano, ou seja, 6 milhões de toneladas, mas as autoridades soviéticas pretendem levar adiante seu desenvolvimento após o término do Plano Quinquenal. A região de carvão dos Urais deve aumentar sua produção de 2 milhões de toneladas em 1927-1928 para 6 milhões de toneladas em 1932-1933.

---

* No livro *More than a Grain of Truth*, de Margaret Siriol Colley, Gareth Jones conta uma história em seu diário, escrito em sua primeira viagem para a União Soviética. Ele fala de um companheiro de viagem, um professor da Universidade de Moscou. *"Ele estava preocupado que um par de sapatos fosse tirado dele na fronteira soviética, porque ele tinha um par além do que era permitido. Ele só podia ter um par."*

O distrito de Moscou, onde há grandes reservas de carvão de baixa qualidade, vem em seguida. Sua produção deve aumentar de 1 milhão para 4 ou 5 milhões de toneladas entre o primeiro e o último ano do plano. Mesmo nas distantes terras soviéticas da Ásia Central e da Transcaucásia, os planos de desenvolvimento de carvão devem ser levados adiante.

Ferro e aço

Haverá um grande esforço para aumentar a produção de ferro e aço.

As siderúrgicas de ferro e aço das duas importantes regiões metalúrgicas do país (a Bacia do Donets e os Urais) serão reconstruídas. Muitas novas caldeiras devem ser construídas.

A produção de petróleo deve atingir 42 milhões de toneladas em 1933. Essa é uma tremenda taxa de aumento em comparação com as 11 milhões de toneladas de 1927-1928.

A produção de máquinas agrícolas, cobre, zinco, chumbo, alumínio, caldeiras, têxteis, enfim, de todos os bens, deve ser dobrada ou triplicada. Este ano de 1931 verá a produção da Rússia aumentar em 45%!

Os salários devem ser dobrados. Novas fábricas de todos os tipos serão construídas. A eletrificação deve avançar rapidamente. Uma rede de ferrovias deve ser construída a uma velocidade vertiginosa, abrindo novas regiões para a indústria e o comércio. Hidrovias e estradas devem ser desenvolvidas para transportar uma quantidade cada vez maior de bens produzidos.

O plano — como plano — é, de fato, estupendo.

Agricultura

No reino da agricultura, o plano não é menos ambicioso. Há uma tentativa de revolucionar a aldeia russa. Grandes fazendas coletivas estão sendo criadas. A classe dos kulaks (os camponeses que possuem três ou mais vacas e empregam mão de obra) deve ter sua existência eliminada. A política de coletivização visa acabar com os milhões de lotes e faixas de propriedade individual e estabelecer grandes fazendas administradas por máquinas e de propriedade comum. Os camponeses têm permissão para manter sua casa de campo, uma vaca, galinhas, talvez um porco ou dois, mas os tratores e a terra são de propriedade comum. Os comunistas pretendem converter 50% dos camponeses da Rússia em membros das fazendas coletivas até o final deste ano. Se isso for bem-sucedido, será uma revolução impressionante na vida dos 130 milhões de camponeses russos. Além desses "coletivos", grandes fazendas do Estado, cobrindo centenas de milhares de acres, serão instaladas. Essas serão para produzir milhões de toneladas de grãos para exportação. Os planos relativos à madeira e peles também são extremamente altos.

Se o Plano Quinquenal for executado integralmente, revolucionará a vida e o comércio de todo o mundo.

Será realizado? Esse problema está intrigando, preocupando e atormentando homens e mulheres em todos os países. Nos artigos seguintes, será feita uma tentativa de responder a essa questão vital.

FATORES A FAVOR DO SUCESSO DO PLANO

The Western Mail

CARDIFF, 9 de abril de 1931. "Estamos em estado de guerra", disse um comissário bolchevique enquanto mostrava a um visitante galês as máquinas mais recentes de sua fábrica. "A Rússia está travando uma guerra de construção, a guerra para construir o Estado socialista e mudar toda a face da terra. Estamos travando uma batalha real pelo Plano Quinquenal." Existem forças na Rússia que ajudarão os comunistas a vencerem a guerra do Plano Quinquenal. Há forças que tenderão a derrotá-los. É, de fato, uma batalha de verdade.

Tentemos resumir os dois exércitos: o exército de fatores que estão ao lado do sucesso do Plano Quinquenal e o exército de dificuldades e retrocessos que podem derrotar os comunistas.

Os vários recursos da Rússia

O primeiro fator que ajudará os bolcheviques a vencer a batalha são os vastos recursos da Rússia. Pense na quantidade de carvão intocado armazenado sob o solo da União Soviética. Suas florestas cobrem uma área de cerca de dois bilhões de

A AMBIÇÃO SOVIÉTICA

acres, de longe as maiores reservas de madeira do mundo. Riquezas incalculáveis estão dentro de suas fronteiras.

Petróleo? Acredita-se que mais de um terço das reservas mundiais de petróleo estejam dentro de suas fronteiras. Milho? O sul da Rússia merece o nome de celeiro do mundo. Algodão e linho? Ouro? Platina? Minério de ferro? Todos esses são abundantes.

O Plano Quinquenal será ajudado pela estabilidade do regime. Os bolcheviques parecem ter vindo para ficar. Uma revolução contra os comunistas parece impossível. Qualquer tentativa de um levante é imediatamente barrada pelo OGPU. Essa temida organização tem poder de vida e morte sobre as pessoas, e seus membros têm o direito de atirar em um contrarrevolucionário sem julgamento. Em todo caso, a Justiça soviética está ao lado do regime e os tribunais são usados para suprimir quaisquer inimigos do Plano Quinquenal. "Os tribunais", diz Krylenko, o promotor público do governo soviético, "são órgãos para eliminar os inimigos da revolução." Não só o OGPU, que tem um exército bem treinado de cerca de 130 mil homens, com as melhores armas e aviões, mas também o Exército Vermelho provavelmente apoiarão o regime.

Seus membros são bem alimentados e aprendem a doutrina comunista. Recentemente, foi publicado um decreto determinando que 60% do Exército deve ser composto de trabalhadores. Isso o deixará mais comunista e tornará menos provável a repetição dos problemas que surgiram entre os camponeses do Exército Vermelho no ano passado. Com o OGPU e o Exército Vermelho ao seu lado, o governo soviético poderá se concentrar na execução do Plano Quinquenal.

Plano ajudado por invenções modernas

Invenções modernas tornam mais firme o controle sobre a Rússia e ajudam o governo a impor o plano. O rádio, o teatro, o cinema espalham os ideais comunistas por toda a Rússia, enquanto a metralhadora, o gás venenoso e o avião são inestimáveis para esmagar qualquer oposição que possa surgir.

O próximo fator que ajudará o Plano Quinquenal é o caráter de Stalin, o ditador. Esse homem implacável e rigoroso é quem conduz a nação. Ele é brutal e não tem piedade. Ele não deixa que nada fique em seu caminho quando sua mente está decidida. Esse filho de um sapateiro caucasiano e de uma lavadeira é um organizador brilhante. Sem posses, tem um objetivo na vida — tornar o Plano Quinquenal um sucesso.

O entusiasmo dos jovens será uma força que ajudará o plano. Para muitos jovens, o comunismo tem o poder de uma religião. Eles sacrificariam suas vidas voluntariamente por causa do plano. Eles obedeceriam a ordem do Partido Comunista para deixar suas casas e trabalhar em uma mina nas profundezas da Sibéria, assim como um missionário mergulharia nas florestas selvagens da África por causa do cristianismo. Trabalhariam nove, dez, onze, doze horas e abririam mão de todo o seu lazer pelo sucesso do Plano Quinquenal.

A ideias que os jovens têm da Grã-Bretanha

Sentado em um circo em Moscou, um galês fez amizade com um menino russo louro de 13 anos. "Você gostaria de ir para a Grã-Bretanha?", ele perguntou ao menino. O menino ficou chocado. "Não, nunca", disse ele. "Deve ser terrível lá, um país capitalista onde todos os trabalhadores são oprimidos. Eu sinto muito por eles. Mas eles serão comunistas um dia, porque nós, jovens, vamos fazer do Plano Quinquenal um sucesso. Não vai ficar tudo bem quando transformarmos a Rússia em um país de fábricas? Eu faria qualquer coisa para tornar o Plano Quinquenal um sucesso e muitos colegas de escola também."

Esse é o espírito que vai impulsionar o plano rapidamente. A juventude da Rússia está sendo treinada para se dedicar ao Plano Quinquenal graças ao excelente trabalho feito pela educação na Rússia. O Estado não mede esforços para criar escolas e ensinar jovens e idosos a ler e a escrever. "Devemos dar livros aos trabalhadores, mas não lhes damos sapatos", disse-me um comunista.

O comando que o Estado tem sobre a vida do trabalhador também pesará a favor do plano. Se houver escassez de mão de obra nas florestas do Norte, muitos milhares de trabalhadores ou camponeses podem ser convocados para preencher a lacuna. Em janeiro, quando o transporte falhou, o comissário do trabalho emitiu uma ordem pela qual todos os funcionários que, em algum momento, envolveram-se em trabalhos ferroviários de todo tipo deveriam se apresentar em até cinco dias e aceitar qualquer cargo oferecido em qualquer parte do país para a qual a Bolsa de Trabalho poderia enviá-los.

Esforços desesperados para levantar dinheiro

O Estado priva a população da maioria das commodities a fim de conseguir dinheiro para investir na indústria e comprar máquinas do exterior. O comércio exterior é um monopólio do governo. Assim, nenhum bem de luxo é importado, e manteiga, ovos, grãos e bacon, extremamente necessários em casa, são exportados com o objetivo de obter dinheiro para comprar tratores, máquinas para fabricação de tecidos e motores necessários para executar o plano.

O caráter dos povos que formam a União Soviética é outra força que permite aos comunistas avançar na industrialização. O russo médio é sofredor e, tendo sido servo até 1861, nunca experimentou a liberdade. Um trabalhador britânico nunca se permitiria ser comandado e privado de sua comida e de sua liberdade como o russo. Bill Smith ou John Jones logo se levantariam para defender seus direitos! Mas o russo é submisso e deixa que os governantes continuem governando.

Na agricultura, há muitíssimas forças que ajudarão os comunistas a realizarem seu plano. A maravilhosa colheita do ano passado foi um grande golpe de sorte para sua política de coletivização. O uso de máquinas, que os comunistas defendem, deve aumentar a produção de grãos nas extensões planas de terra fértil no sul da Rússia. Muito, no entanto, dependerá do número e da qualidade dos tratores que podem ser produzidos sob o Plano Quinquenal, com métodos modernos e pesquisa excelente. Os cientistas russos farão campanha para transformar as fazendas em terras modernas exploradas por máquinas. Tremendas fazendas estatais (cobrindo centenas de milhares de acres), nas quais os trabalhadores são assalariados, foram instaladas nas estepes virgens. Elas poderão fornecer grãos para o Exército Vermelho e para a exportação. As grandes fazendas de suínos e bovinos do Estado devem compensar a terrível escassez de carne causada pelos camponeses que massacraram seus animais há um ano, quando foram forçados a se juntar às fazendas coletivas comunistas.

Essas são as forças ao lado de Stalin. É um exército formidável. Certamente, você dirá que, com todos esses fatores lutando pelos comunistas, eles terão um sucesso retumbante do plano. Esse é, no entanto, apenas um lado da imagem. O exército de dificuldades e obstáculos também é poderoso. As forças que estão lutando contra o Plano Quinquenal serão mostradas no próximo artigo.

TRABALHADORES RUSSOS DESILUDIDOS

The Western Mail

CARDIFF, 10 de abril de 1931. "Por que eles não podem dar a nós trabalhadores o suficiente para comer?", explodiu de repente o mineiro russo de rosto vermelho no canto da carruagem. "É o Plano Quinquenal deles! Tudo o que eles fazem é nos prometer salsichas e calçados dentro de alguns anos! Que eles nos deem agora. Não aguentamos mais. Uma revolução certamente virá."

Comida, roupas e sapatos escassos

Não havia carne no restaurante cooperativo em Rostov. As salsichas estavam esgotadas desde as 9 da manhã. Havia algumas barras de chocolate a 12 xelins* cada. Não havia manteiga, a não ser no mercado privado, a 20 xelins por quilo. Havia uma longa fila de pessoas nervosas no restaurante. "Alguém tem alguma prata?", "Não tem troco?", perguntavam uns aos outros. Houve resmungos e xingamentos. Um jovem trabalhador, um pouco bêbado, aproximou-se de mim e disse: "É isso que estão fazendo conosco na Rússia soviética. Os comunistas estão nos matando, trabalhadores e camponeses. Tudo é ruim, ruim, ruim. Não podemos comprar sapatos e não podemos comprar roupas. Não podemos obter comida, exceto pão. Como poderemos trabalhar o dia todo com nossas barrigas vazias? Não há nada na Rússia. O Plano Quinquenal? É tudo mentira, mentira, mentira!".

Dois camponeses, em seus casacos rústicos de pele de carneiro, estavam furiosos. O trem chacoalhava pelas estepes do norte do Cáucaso. Estávamos falando sobre a política soviética de fazer os camponeses desistirem de suas terras e se juntarem às fazendas coletivas. "É uma vida de cachorro", disseram eles. "Seria melhor estar debaixo da terra do que viver agora. Eles nos forçam a nos juntar às fazendas coletivas. Os melhores, aqueles que trabalhavam dia e noite, foram enviados para a Sibéria e os Urais, e suas casas foram tiradas deles. Eles não nos deixam manter mais de uma vaca. De que adianta trabalhar? É terrível."

---

* A libra é a moeda britânica. Cada libra equivalia a 20 xelins. A libra também é uma unidade de peso. Nesse caso, uma libra equivale a 453 gramas.

Muitas dificuldades

Esses vislumbres da vida na Rússia soviética mostram que os comunistas não estão conseguindo o que querem com o Plano Quinquenal. As dificuldades são formidáveis e estão travando seriamente o andamento do plano. Existem dificuldades industriais, agrícolas e humanas.

Quais são as dificuldades industriais? A primeira é a fraqueza dos trabalhadores por falta de quase todos os alimentos, exceto pão. A carne é extremamente escassa. Todas as gorduras são quase impossíveis de obter, a menos que a pessoa seja um trabalhador braçal ou um membro do Partido Comunista. Mesmo um trabalhador manual raramente é capaz de obter o suficiente. A má qualidade dos bens produzidos no Plano Quinquenal é outro inconveniente. A imprensa soviética publica cartas francas de leitores afirmando que as roupas normalmente se desfazem em pouco mais de um mês após a compra. Os tratores geralmente quebram em poucas horas de uso. Isso é facilmente entendido. Uma fábrica é ordenada a produzir mil tratores até uma determinada data sob o Plano Quinquenal. O gerente pode ser preso, talvez fuzilado ou ter o seu cartão de pão confiscado se a ordem não for cumprida. Assim, esses mil tratores são produzidos, não importa a qualidade.

Falta de trabalho qualificado

A crescente falta de engenheiros e de mão de obra qualificada será uma séria barreira para o sucesso do plano. É impossível formar engenheiros e mecânicos em um ano. Muitas vezes, uma geração ou mais é necessária para fornecer um corpo de trabalhadores treinados. Um mineiro do sul de Gales não pode ser feito em seis meses. Ele é o resultado habilidoso de gerações de experiência. O governo soviético está criando escolas industriais e de engenharia em todos os lugares, mas eles descobrirão que não podem administrar um Estado industrializado com engenheiros mecânicos e trabalhadores não qualificados e não treinados.

As ferrovias da URSS estão agora em estado de confusão. Erros terríveis foram cometidos. Homens foram baleados por atrapalhar a organização de transporte. Um milhão de toneladas de carvão ficaram ociosas na Bacia do Donets este ano porque não havia vagões e locomotivas suficientes para carregá-las. A menos que o transporte seja melhorado e as ferrovias planejadas sejam construídas a tempo e, além disso, bem construídas, o Plano Quinquenal estará em grave risco de fracassar.

Ultimamente, tem sido difícil para as autoridades soviéticas manter os trabalhadores nas fábricas. Eles estão saindo de um distrito e indo para outro ou voltando famintos das cidades para suas aldeias, onde têm pais, irmãos ou primos. A fuga de trabalhadores foi mais marcante na Bacia do Donets, o distrito de carvão, ferro e aço, de onde 93 mil trabalhadores fugiram no verão passado. O governo soviético teve de fazer regras que equivalem a prender os trabalhadores a suas fábricas ou minas e apertar o controle do Estado sobre a vida de cada cidadão.

Fome de combustível

O fracasso no fornecimento de matérias-primas às fábricas, como algodão ou linho etc.; a fome de combustível que causou tanto sofrimento neste inverno; os resultados decepcionantes do movimento das cooperativas, tudo isso colocou um freio no cumprimento do plano. Na agricultura, o governo teve que enfrentar a oposição das massas camponesas. Provavelmente há neste momento muitos comunistas sendo assassinados nas aldeias por camponeses que querem ficar com suas terras*. O massacre generalizado de gado e porcos que se seguiu à violenta campanha de coletivização de um ano atrás causou uma escassez de animais que afetará a Rússia por vários anos. Por meio da luta de classes nas aldeias e extermínio dos camponeses mais ricos (os kulaks) pelo exílio, confisco ou, às vezes, fuzilamento, os comunistas estão privando a agricultura russa de seus trabalhadores mais incansáveis.

Centenas de homens baleados

Há, finalmente, sérios obstáculos humanos que impedirão que o Plano Quinquenal transforme a Rússia num país feliz e próspero. Existe, em primeiro lugar, o apego do ser humano médio à propriedade. Em segundo lugar, gerentes de fábricas, diretores de fundos e muitas pessoas em boas posições têm medo de assumir

---

* O OGPU registrou quase 1 milhão de atos de resistência individual na Ucrânia em 1930, segundo Timothy Snyder.

responsabilidades. Isso tem sido perigoso. Durante o último inverno, centenas de homens foram fuzilados por falhas nos ramos da indústria em que eles ocupavam cargos de liderança. Quando suas ações são ditadas de acordo com um plano definido e o fracasso pode causar a morte, seu impulso de iniciativa certamente sofrerá. Outra desvantagem humana é a ênfase que é colocada na orientação política e na ortodoxia, e não na habilidade prática. Se você é um comunista, então você tem uma chance muito maior de se tornar o diretor de uma fábrica do que um não comunista. Um bom orador de esquina não é necessariamente um bom organizador. Há, portanto, desperdício de poder cerebral.

A construção de um Estado ideal será prejudicada pela falta de liberdade de expressão, que é um obstáculo ao pensador, ao artista, ao escritor, ao político e ao homem comum. Finalmente, a desilusão que se espalha pelas fileiras dos trabalhadores e camponeses, tão violentamente contrastante com o otimismo dos comunistas e da juventude, despedaçou o primeiro êxtase descuidado com o plano.

Tais são as forças que lutam contra o sucesso do plano. Quais foram os resultados até agora? E quais são as perspectivas para o futuro? Esses temas serão tratados no próximo e último artigo.

MISTURA DE SUCESSOS E FRACASSOS

The Western Mail

CARDIFF, 11 de abril de 1931. O Plano Quinquenal Soviético está funcionando há dois anos e meio. Quais foram as conquistas?

Não há dúvida de que grande progresso tem sido feito em alguns ramos da indústria. Os desenvolvimentos de energia elétrica foram tremendos e a produção é cinco vezes maior que a de 1913.

As linhas aéreas agora penetram na longínqua solidão da Sibéria. Uma companhia aérea transiberiana em breve revolucionará os serviços postais e de passageiros entre a Europa e o Japão. Um galês que voou do sul da Rússia para Moscou no verão passado ficou impressionado com a excelente organização da Companhia de Aviação Soviética. De acordo com o Plano Quinquenal, o comércio de livros deve se desenvolver rapidamente, e grandes quantidades de livros são agora oferecidas ao povo da Rússia a preços baixos. A exportação de grãos no ano passado surpreendeu o mundo, embora tenha sido apenas metade da média das exportações no pré-guerra. A exportação de petróleo está aumentando e a produção em 1930 era quase o dobro de 1913. A educação é fornecida pelo Plano Quinquenal e está progredindo favoravelmente, assim como a excelente propaganda pela saúde e pela abstinência alcoólica. Novos colégios técnicos estão sendo estabelecidos, e essa parte do plano também está dando certo.

Em que o plano falha

Apesar dessas conquistas, têm ocorrido várias falhas sérias no plano. A produção de carvão caiu rapidamente no verão passado e, enquanto a produção em março foi de 4,7 milhões de toneladas, em agosto foi de apenas 2,9 milhões de toneladas. Houve uma escassez grave de combustível neste inverno. A situação do carvão está melhorando gradualmente, mas será impossível, no ritmo atual, chegar perto das 83 milhões de toneladas previstas para este ano. No entanto, a produção irá se desenvolver, e o número de 1930 (47 milhões de toneladas) foi um aumento de dois terços em relação ao de 1913.

O Julgamento de Moscou* mostrou que o Plano Quinquenal estava indo mal em muitos ramos. Enquanto o primeiro ano do plano foi um sucesso, o segundo foi decepcionante para os comunistas. A produção aumentou, mas foi à custa da qualidade e do prejuízo do padrão de vida dos trabalhadores. O transporte foi desorganizado em todo o país. A falta de mão de obra qualificada foi sentida de forma aguda. Essas dificuldades vão aumentar com os sacrifícios extras que o plano impõe ao país.

A rapidez com que Stalin está tentando industrializar a Rússia tem levado a muita fome e sofrimento. A comida é escassa. A saúde da nação pode ser afetada pelas atuais privações. O descontentamento das massas tem sido tremendo, e fala-se em revolução contra os comunistas. Uma onda de ódio contra Stalin se

---

* Julgamento de Moscou: Jones provavelmente está falando da prisão de nove economistas a mando de Stalin no início de setembro de 1930. Eles foram acusados de ser contrarrevolucionários e conspiradores. Acabaram desaparecendo ou foram processados e tiveram de admitir estar trabalhando para forças estrangeiras. Em poucos dias, 48 membros do Comissariado Popular do Comércio foram acusados e fuzilados por sabotar o fornecimento de alimentos.

espalhou pelo Partido Comunista. O grupo anti-Stalin é chamado de Oposição de Direita e é forte nas bases do partido e no país.

Ao passar pelo Kremlin, a cidadela onde vive Stalin, vi sentinelas por toda parte e, em um lugar onde a muralha foi quebrada, um soldado vermelho andava para cima e para baixo com sua baioneta* a postos.

Histórias sobre Stalin são sussurradas nos cantos dos trens.

Uma história típica de Stalin

Aqui está uma história típica que me foi contada na Bacia do Donets: Stalin teve um sonho no qual Lênin apareceu para ele.

"Olá, Stalin! Como vai você?", pergunta Lênin.

"Ah, estou bem", responde Stalin.

"Como está a Rússia?"

"Oh, esplêndida", diz Stalin. "Você sabe, temos nosso Plano Quinquenal agora e nossas conquistas são incríveis."

"É mesmo?", diz Lênin. "E o que você vai fazer quando o Plano Quinquenal acabar?"

"Ah, teremos outro Plano Quinquenal."

Então Lênin acaba com Stalin dizendo:

"A essa altura, todos os homens, mulheres e crianças na Rússia terão morrido e se juntado a mim, e você será o único homem que restará para realizar seu segundo Plano Quinquenal."

Stalin desgraçou os líderes da Oposição de Direita, Rykoff, Tomsky e Bukharin, e colocou seus próprios homens em posições-chave. Os comunistas de direita querem desacelerar o plano e dar mais atenção à felicidade da classe trabalhadora. Stalin é, atualmente, supremo, mas se houver muito mais fome e sofrimento, sua posição será enfraquecida. Isso não significaria, no entanto, o colapso do regime comunista, mas a vitória dos moderados no partido.

---

* A baioneta é uma arma pontuda com forma de faca, que fica presa ao cano de rifles e espingardas. Era usada por soldados de infantaria nos enfrentamentos corpo a corpo.

FOME NA UCRÂNIA

O futuro

E o futuro? Só um homem ousado se aventuraria a profetizar o futuro da Rússia. Os números que os bolcheviques almejam são fantásticos e jamais poderão ser alcançados em 1933. Mas, até onde se pode julgar, a Rússia soviética poderá, com o tempo, aumentar suas exportações de carvão, grãos, petróleo e madeira.

Atualmente, os embarques de carvão ao exterior são pequenos, mas a Rússia está tentando se firmar em vários mercados britânicos e na Itália. Suas exportações de grãos dependerão da colheita, mas se a safra for tão boa este ano quanto foi no ano passado, então o Canadá sofrerá ainda mais e o mercado de grãos será seriamente perturbado. As reservas de petróleo da Rússia são vastas e o país continuará a aumentar suas exportações da commodity. Sua madeira também continuará atingindo o Canadá, os estados escandinavos, os estados bálticos e a França.

A Rússia soviética provavelmente será, portanto, concorrente em produtos naturais como carvão, grãos, petróleo, madeira e peles. No que diz respeito aos produtos manufaturados, no entanto, será preciso muito tempo até que ela ganhe a experiência, a habilidade e a organização dos países ocidentais. Além disso, a própria Rússia será um mercado que absorverá grandes quantidades de produtos manufaturados e sua necessidade de máquinas do exterior para fabricá-los ainda será grande por muito tempo.

Uma mistura de sucessos e fracassos

O sistema comercial da Rússia soviética, no qual a exportação e a importação são monopólio estatal, permite que ela venda a qualquer preço. Se ela obtiver um grande lucro com o petróleo, poderá vender grãos ou carvão muito abaixo do preço de custo*. A União Soviética tornou-se uma grande empresa centralizada que controla 158 milhões de pessoas com um padrão de vida miserável. Até agora, o Plano Quinquenal tem sido uma mistura de sucessos e fracassos. Está aumentando a produção da Rússia, mas à custa da qualidade e da felicidade humana. Muitas dificuldades estão em seu caminho, mas, se essas dificuldades forem superadas, a Rússia soviética será um concorrente poderoso.

O sucesso do plano fortaleceria as mãos dos comunistas em todo o mundo. Isso poderia fazer do século XX um século de luta entre capitalismo e comunismo.

---

* Este é o *dumping* soviético de que Gareth Jones fala anteriormente.

Segunda viagem à URSS com Jack Heinz II

Na década de 1930, Howard Covode Heinz comandava a empresa de alimentos processados F. & J. Heinz Company, fundada por seu pai e que hoje segue famosa pelo seu ketchup. O empresário frequentava um seleto grupo de amigos que incluía o banqueiro JP Morgan, Albert Wiggin, ligado aos Rockefellers, e o relações públicas Ivy Lee, chefe de Gareth Jones.

Em 1931, o filho de Howard, Jack Heinz II, recém-formado na Universidade Yale, pretendia viajar para a Rússia. Em um encontro com Howard, Ivy Lee sugeriu que o jovem aproveitaria muito mais os dias na URSS se fosse acompanhado de alguém que soubesse falar russo. Lee então sugeriu que Jones desempenhasse as funções de guia e intérprete.

Jones ficou animado com o convite e traçou um roteiro de viagem, que aconteceu em agosto daquele mesmo ano. Ele e Jack Heinz II percorreram uma extensão de mais de 8 mil quilômetros. Em Moscou, eles conversaram com a viúva de Lênin, Madame Krupskaya. Os dois também se encontraram com jornalistas estrangeiros, como o correspondente do jornal *The New York Times*, Walter Duranty, e o enviado da *Associated Press*, Eugene Lyons.

No retorno dessa longa viagem, que durou seis semanas, Jones passou por Londres para uma conversa com Lloyd George, seu antigo chefe, e seus convidados. Um deles, Sir Philip, ao ouvir as histórias, comentou que o jornalista já tinha material suficiente para escrever um livro.

Dias depois, Jones publicou artigos anônimos no *The Times*, de Londres. Em seguida, ele emplacou mais algumas reportagens no *The Western Mail*, de Cardiff, já com o seu nome.

Baseado nos registros da viagem, Jack Heinz II publicou um livro, *Experiências na Rússia — 1931*, com o prefácio escrito por Jones. Sua carreira seguiu pelo mundo corporativo. Em 1941, ele assumiu o comando da empresa fundada por seu avô e permaneceu como seu presidente até 1966. Jack foi o último membro da família a liderar a companhia.

A VERDADEIRA RÚSSIA. O CAMPONÊS NA FAZENDA

The Times

LONDRES, 14 de outubro de 1931. As cidades e vilas da Rússia soviética são oásis isolados na vasta extensão do campo russo. Habitadas por uma pequena minoria da população, elas não são a Rússia verdadeira. Nem os comunistas proletários, que saúdam o visitante estrangeiro e o impressionam com seu entusiasmo, representam o todo dessa união de raças, nações e tribos que se estende das fronteiras da Polônia por quase 10 mil quilômetros até o Pacífico. A Rússia verdadeira encontra-se nas aldeias distantes que nunca, ou raramente, são vistas pelo viajante. O camponês é a figura central da União Soviética e deve continuar sendo assim. Não apenas os camponeses constituem a esmagadora maioria da população, como também é da sua produção de cereais que o regime soviético depende. O problema dos camponeses será sempre o mais importante dos assuntos russos.

Durante os últimos dois anos, o vilarejo russo foi profundamente agitado. A revolução — que em 1917 arrebatou os trabalhadores, a nobreza e a classe média — finalmente varreu as planícies russas e transformou a vida dos camponeses, assim como há 13 anos transformou a vida dos habitantes das cidades. A Revolução Bolchevique fortaleceu o sentimento de propriedade privada entre os camponeses e, em 1927, o capitalismo estava mais firmemente enraizado que nunca nas aldeias. O desaparecimento da agricultura em grande escala, a divisão da terra entre 26 milhões de pequenas famílias e o ressurgimento da classe dos kulaks, que empregavam o trabalho de outros, eram um perigo para o poder comunista. Com energia, inclemência e confiança de que superaria todos os obstáculos, o Partido Comunista lançou sua política de coletivização. Essa política foi seguida por dois anos. Como o camponês reage à coletivização? Quais métodos foram empregados nesse ataque sem precedentes à propriedade privada? Até que ponto se conseguiu sucesso? Como isso afetará os planos de industrialização do governo? As seguintes observações sobre essas questões são baseadas em visitas não guiadas a fazendas coletivas e fazendas do Estado. O escritor, que não teve dificuldade em viajar para onde quisesse e perambulava a pé pelas fazendas, conseguiu conquistar a confiança de muitos camponeses em diferentes partes da Rússia. A unanimidade de seus pontos de vista foi impressionante.

Perturbando os kulaks

O colcoz Stalin estava em um distrito de coletivização total. Desde 1929, quando tiveram seu início nas aldeias, os colcozes estavam no centro da luta de classes, mas, agora, no outono de 1931, tudo estava calmo novamente. O presidente do soviete da aldeia, um jovem comunista entusiasmado e enérgico, diante do qual os camponeses mais velhos se curvavam e tiravam os chapéus respeitosamente, explicou com orgulho como haviam alcançado a unidade na aldeia. "Tínhamos 40 famílias kulaks e mandamos todos embora. Não bastava enviar apenas os homens, porque devemos arrancar todos os elementos kulaks pela raiz. Então, enviamos as mulheres e as crianças também. Eles foram para Solovki ou para a Sibéria cortar madeira ou trabalhar nas ferrovias. Em seis anos, se eles mostrarem que estão do nosso lado, poderão retornar. Deixamos aqui os kulaks muito velhos, porque não representam perigo para o poder soviético. Agora, a luta contra os kulaks terminou com a nossa vitória, pois o último deles foi há um mês. Ele era o líder de uma seita religiosa na aldeia. Reuniu vários camponeses em sua casa e disse a eles em reuniões que os comunistas desejavam matar todos os camponeses de fome. Profetizou que a guerra viria e que o papa de Roma visitaria a vila e enforcaria todos os comunistas. Isso foi uma agitação contrarrevolucionária, então agora esse líder está na Sibéria fazendo trabalhos forçados. Ele está trabalhando tão duro quanto aqueles trabalhadores rurais que ele costumava contratar."

A "deskulakização" descrita pelo presidente da aldeia soviética do colcoz Stalin foi vigorosamente perseguida em todo o país. Enquanto o barco a vapor em que eu viajava descia o Volga, uma centena de camponeses, homens, mulheres e crianças, com todos os seus pertences, podiam ser vistos sentados imóveis na margem, olhando para o rio em uma angústia sem esperança. Uma mulher no barco se virou para mim e disse baixinho: "Você está vendo isso? São kulaks sendo exilados apenas porque trabalharam duro ao longo de suas vidas. Os camponeses

FOME NA UCRÂNIA

foram mandados embora aos milhares para morrer de fome. É terrível como têm sido tratados. Não receberam cartões de pão nem nada. Um grande número foi enviado para Tashkent e deixado confusos na praça da cidade. Eles não sabiam o que fazer e muitos morreram de fome".

Os colonos alemães

Os colonos alemães sofreram igualmente. O presidente de uma fazenda coletiva alemã informou que, em sua aldeia de 600 habitantes, seis famílias, com mulheres e crianças, foram exiladas. Na mesma aldeia, uma mulher descreveu como os kulaks foram banidos. "Recebemos cartas", acrescentou, "nos contando que, saindo da colônia alemã de várias aldeias do distrito, 90 crianças kulaks morreram na viagem para a Sibéria ou na chegada lá. Temos medo de ser mandados embora como kulaks, porque podem dizer que você era um por motivos políticos ou pessoais. Recebemos uma carta de um deles dizendo que estavam cortando madeira longe, na Sibéria, que a vida era terrivelmente difícil e que não tinham o suficiente para comer."

Esse medo de ser exilado como kulak foi um fator poderoso de atração para as fazendas coletivas. No colcoz Stalin, onde permaneci, um camponês de olhos aguçados e cabelos escuros se aproximou de mim na cabana da aldeia soviética na presença do presidente comunista. Ele me falou dos sucessos do colcoz, do entusiasmo do país pelo movimento colcoz, em meio à afeição dos camponeses por seu jovem líder bolchevique. Essa última declaração foi acompanhada por uma amistosa palmada nas costas do presidente da aldeia soviética. Na manhã seguinte, porém, longe de qualquer um dos membros comunistas do colcoz, o mesmo camponês, que aparentemente era um partidário eloquente do poder soviético, aproximou-se de mim em meio a sussurros: "É terrível aqui no colcoz. Não podemos falar ou seremos mandados para a Sibéria como fizeram com os outros. Estamos com medo. Eu tinha três vacas. Levaram-nas, e agora só recebo um pedaço de pão. É mil vezes pior hoje do que antes da revolução; 1926 e 1927 foram anos bons, mas atualmente não ousamos nos opor aos comunistas ou seremos exilados. Temos de ficar quietos".

A insatisfação com o tratamento dado aos kulaks se espalhou para o Exército Vermelho e para as cidades. Uma aldeã que trabalhava em Moscou descreveu como seus primos se saíram: "Os camponeses foram forçados a se juntar às fazendas coletivas. Eles levaram meus dois primos. Trabalhavam noite e dia, dia e noite. Com as próprias mãos, eles construíram belas cabanas, e veja o que aconteceu. Eles se recusaram a se juntar ao colcoz e foram mandados para os Urais, onde é muito, muito ruim. E tem também meu outro primo. Ele tinha duas vacas, dois porcos, algumas ovelhas e duas cabanas. Eles o chamaram de kulak e o obrigaram a vender todos os seus bens. Deram apenas 300 rublos por tudo — vacas, cabanas e tal. Os outros camponeses da aldeia foram informados de que, se não se juntassem à fazenda coletiva, seriam enviados para Arcangel, para os Urais ou para a Sibéria. Então, é claro, eles aderiram. Eles tiveram problemas com alguns camponeses. Na minha aldeia assassinaram dois comunistas".

Assim, os kulaks foram trucidados e espalhados por toda a Rússia para trabalhar nas florestas, nas minas e nas estradas. O período de aniquilamento dos kulaks está quase no fim. A política do Partido Comunista triunfou porque eles esmagaram seus inimigos nas aldeias e 60% das famílias camponesas não são membros de fazendas coletivas. O tempo do agricultor individual acabou e, pressionado por altos impostos, temendo perder sua casa ou um exílio faminto na Sibéria, ele se torna membro de uma fazenda coletiva. Ele está atordoado, sua antiga vida foi destruída e ele não sabe o que o futuro lhe reserva. Seria prematuro tirar conclusões definitivas porque as fazendas coletivas estão em sua infância; mas as reações dos camponeses podem ser descritas de forma concisa. Em toda a Rússia ouve-se a mesma história: "Eles levaram nossa vaca. Como as coisas podem melhorar se não temos terra nem vaca?". O grito do camponês russo sempre foi "Terra e Liberdade" e é o mesmo grito hoje.

Uma vaca e mais nada

Em muitas fazendas coletivas, o camponês pode manter uma vaca em seu estábulo. Na fazenda coletiva Stalin, onde fiquei, a socialização fez grandes progressos e todo o gado, porcos e ovelhas tornaram-se propriedade da comunidade. O *dvor* (curral) estava vazio, e isso era tragicamente estranho para o camponês que desde o nascimento estava acostumado com seus animais no curral. "Nosso *dvor* está vazio", diz o camponês com tristeza e ele não consegue se reconciliar com o silêncio fantasmagórico atrás de sua cabana. Ele lamenta também a falta de alimentos e de roupas nas fazendas. Na fazenda Stalin, as camponesas recebem 5 quilos de pão preto por mês e sopa de repolho, enquanto as que ficam em casa não recebem nada. Na Ucrânia, em uma fazenda coletiva, a ração era de 9 quilos. Os camponeses reclamam: "Venha ver o grão, grão podre: é o que eles guardam para nós. Todo o melhor grão é enviado para a cidade mais próxima para exportação, e nós não temos o suficiente para comer. A pobre Mãe Rússia está em uma situação lamentável. O que queremos é terra e nossas próprias vacas". Em algumas aldeias, a apreensão de grãos pelo governo levou a lutas entre camponeses e autoridades comunistas.

Para o camponês acostumado a cultivar os próprios minifúndios e ordenhar a própria vaca sempre que quisesse, o sistema é irritante. A fazenda coletiva é dividida em várias brigadas, cada uma comandada por um brigadeiro, que em geral é um jovem comunista. A administração do colcoz decide quantos trabalhadores devem participar da debulha, quantos na lavoura e quantos na ordenha. Um camponês expressou seus sentimentos em relação ao sistema com as seguintes palavras: "É como estar no Exército quando alguém é enviado com a brigada".

Por tarefa

O brigadeiro tem a tarefa de decidir quanto trabalho cada camponês realizou, pois agora há muita ênfase no trabalho por tarefa nas aldeias. A igualdade salarial revelou-se um fracasso desastroso nos colcozes, pois não há incentivo ao trabalho e havia dificuldade em convencer os camponeses menos conscientes a irem para o campo. Desde que o sistema por tarefa foi introduzido, o trabalho tem sido mais satisfatório. Cada trabalhador de fazenda coletiva tem um livro no qual o brigadeiro anota diariamente sua quantidade de trabalho realizada. Neste livro está impressa a seguinte regra do VI Congresso dos Sovietes, realizado em março: "Aquele que trabalhar mais e melhor receberá mais; quem não trabalha não receberá nada; essa deve ser a regra para todos os membros de fazendas coletivas". Cada membro tem sua tarefa a cumprir. Se ele realizar a tarefa, seu dia de trabalho conta como um dia de trabalho. Se ele exceder a tarefa em 20%, seu dia será de 1,20 dia útil; se ele trabalha apenas metade do padrão médio, seu trabalho para o dia é inscrito como 0,50 dia útil. No final do ano, a quantidade de trabalho que ele realizou é calculada e os lucros da fazenda coletiva são divididos entre os membros de acordo com o número de dias que consta de seus livros. Ao longo do ano, o camponês recebe um adiantamento mensal. Esse sistema de trabalho por tarefa, enquanto aprisiona o trabalhador nos grilhões da burocracia, leva a um trabalho melhor do que o sistema de igualdade salarial. Exige, no entanto, bons contadores, os quais não são numerosos na Rússia.

Entre os camponeses mais pobres, o movimento colcoz tem adeptos fervorosos. Em uma fazenda coletiva, um velho de cabelos brancos curvou-se profundamente e gemeu: "Tenha piedade de mim! Meu pátio está vazio. Eles me tiraram três cavalos e três vacas, que agora estão ficando magros e esqueléticos porque não são bem cuidados. Como posso obter o suficiente para comer? É uma vida de cachorro". Uma mulher estava passando e parou para gritar com ele. "É muito pouca pena que você merece! Antes, você tinha seus cavalos. Você tinha suas vacas e tinha pouca piedade de nós, pobres camponeses. Eu não tinha vaca nem cavalo. Estou melhor sob o colcoz."

Métodos modernos

Se não afetar a felicidade do camponês, não há dúvida de que a produção aumentará. Os métodos antigos de lavrar a terra na Rússia estão dando lugar aos métodos modernos da ciência. A introdução de máquinas, embora os tratores possam agora ser destruídos e deixados para fora em todos os climas, com o tempo levará a mais grãos e isso teria sido impossível sem a implacável supressão do sistema de lotes. A influência disso sobre o regime é inestimável. No futuro, o camponês não poderá reter o seu grão e ameaçar as cidades, pois o controle comunista sobre as fazendas coletivas é supremo e enquanto, até dois ou três anos atrás, a missão das autoridades na coleta de grãos era assustadora, agora isso foi simplificado pela concentração do grão no estoque da fazenda coletiva. Tendo vencido a batalha contra o camponês, o regime soviético encontra-se em uma posição mais forte do que nunca. Ao assegurar um suprimento estável de pão para as cidades, para o Exército Vermelho ou para o OGPU, pode agora dedicar suas energias ao seu plano de industrialização.

A VERDADEIRA RÚSSIA.
AS PERSPECTIVAS DO PLANO

The Times

LONDRES, 15 de outubro de 1931. O pão não é o único produto da fazenda coletiva. A mão de obra é quase de igual importância em um momento em que há uma grave escassez de trabalhadores ameaçando o cumprimento do Plano Quinquenal. A fazenda coletiva tem o dever de abastecer as fábricas não apenas com grãos, mas também com homens. A necessidade urgente de obter mão de obra das fazendas coletivas foi o primeiro ponto do discurso de Stalin em 23 de junho. O uso de máquinas e a melhor organização do trabalho nas fazendas liberarão para as fábricas milhões de trabalhadores, que serão dispensados em uma agricultura tão mecanizada a ponto de reduzir o número de mãos necessárias. Esses camponeses excedentes (*otkhodniki*) devem ser recrutados para as áreas industriais. Para algumas fábricas os camponeses vão de boa vontade, ansiosos por viagens e novas experiências. Mas aqueles distritos como os da Bacia do Donets, onde as condições de vida são lamentáveis, onde não há casas suficientes e onde as epidemias são abundantes, têm uma má reputação nas aldeias.

Fortalecido pelo suprimento de pão e mão de obra das fazendas coletivas, o governo, com a estabilidade assegurada, tem uma chance muito maior de sucesso no campo da industrialização do que quando a figura central da agricultura russa era o agricultor individual. O "Terceiro Ano Decisivo do Plano Quinquenal" teve um grande progresso em muitos ramos da indústria. Há um aumento nítido na quantidade de bens produzidos e muitas novas fábricas estão programadas para abrir este ano. A indústria petrolífera está avançando rapidamente, e a Rússia Soviética se tornou o segundo maior produtor de petróleo do mundo. As exportações de grãos no inverno passado, embora tenham sido menos da metade das exportações médias do pré-guerra, superaram muito o valor esperado. A União Soviética tornou-se um país produtor de algodão. Novos recursos minerais e químicos estão sendo continuamente descobertos sob o rico solo russo e serão rapidamente explorados pela construção de novas bases metalúrgicas na área dos Urais-Kuznetsk, em Magnitogorsk e na Ásia Central. Grandes obras, como as fábricas de tratores de Stalingrado e Kharkiv, o Autostroy em Níjni-Novgorod, que produzirá 140 mil automóveis e caminhões anualmente, e o Dnieprostroy, que fornecerá energia para uma área industrial de um milhão de habitantes, estão sendo construídos sob a supervisão de engenheiros estrangeiros. Novos esquemas habitacionais, incluindo "cidades socialistas", estão sendo erguidos. A indústria russa está se movendo para o leste com a abertura da Sibéria. Excelentes novas estradas estão sendo construídas nas principais cidades, e as ruas de Moscou melhoraram e estão irreconhecíveis. Essas são, de fato, conquistas, embora alcançadas à custa de profundo sofrimento. O mais impressionante de tudo é a ausência de desemprego. Na Rússia, os mendigos que pedem esmolas são todos de uma geração moribunda e são um contraste marcante com os jovens sem trabalho que mendigam nas ruas de Berlim e outras capitais.

Trabalhadores com fome

No entanto, há sérias dificuldades para enfrentar o plano de industrialização. Em primeiro lugar estão o aperto na condição de vida e a desilusão dos trabalhadores. Embora os proletários tenham se beneficiado de jornadas de trabalho mais curtas, da criação de clubes, de instalações educacionais e de férias mais longas, ainda há uma grande insatisfação com a escassez de alimentos e de produtos e com a falta de liberdades. Os trabalhadores que não têm inclinação política e formam a grande maioria em todos os países afirmam que, antes da revolução, tudo podia ser comprado a preços baixos, enquanto, agora, as oficinas cooperativas não fornecem o suficiente para um homem viver. Eles são obrigados a comprar no mercado privado a preços exorbitantes e mesmo assim continuam com fome. Entre os operários, em geral, há pouca fé no futuro, algo que é tão marcante nos comunistas. A descrença nos jornais e na propaganda é generalizada. Ao ser confrontado com alguns números que mostravam que o Plano Quinquenal estava sendo concluído em dois anos e meio, um operário respondeu: "Você não pode comer números. O Plano Quinquenal está no papel. Você vê aquela árvore ali; não é macieira, certo? Mas os comunistas dizem: 'Amanhã, aquela árvore tem que dar maçãs'".

Mencionar a palavra "voluntário" desperta a ira do russo médio. Um jovem operário de uma fábrica de Moscou, cercado por três de seus companheiros, expressou melhor o significado soviético da palavra. "Na nossa fábrica não podemos dizer nada. Dizem que tudo é voluntário. Voluntário mesmo! A célula do partido decide tudo antes de marcar uma reunião, na qual as resoluções

FOME NA UCRÂNIA

são aprovadas por unanimidade pelas perguntas feitas: 'Quem é contra?'. Ninguém, é claro, quer se meter em encrenca e levantar a mão com medo de desaparecer, já que muitos desapareceram." Outro operário de Moscou, que estava indignado com o governo soviético por enviar comida para o exterior, expressou seu desejo: "Se pudéssemos votar secretamente...". A forma como os trabalhadores foram "voluntariamente" obrigados a pagar de seus salários mensais diversos empréstimos, como o "Empréstimo do Terceiro Ano Decisivo", também gerou amargura na população. A prática de obrigar os trabalhadores de uma fábrica a dedicar "voluntariamente" seu dia livre ao trabalho como "*subbotniki*" em outra fábrica ou em trabalhos construtivos, ou na construção de estradas, priva operários, funcionários, professores e outros trabalhadores de suas férias. Mas é, acima de tudo, a tensão causada pela subnutrição e superlotação que torna a vida do russo médio uma miséria. Ele culpa não só a exportação de alimentos, mas também a má distribuição e os atrasos, que fazem com que os alimentos cheguem em estado decadente.

Falta de habilidades

As condições de alimentação e moradia tiveram um efeito sério sobre os esquemas de industrialização. Não apenas os trabalhadores não podem dedicar todas as suas energias às suas máquinas, pois sofrem de uma grande escassez de gordura, como também voam de uma cidade para outra em busca de melhores alimentos e melhores casas. A rotatividade de mão de obra tornou-se, assim, alarmante, e nenhuma fábrica tem um número estável de trabalhadores. O êxodo da Bacia do Donets levou a estações lotadas, planos de transporte e carvão desorganizados e incontáveis misérias para as massas, que fogem da fome e da doença naquele distrito mal afamado.

Desnorteados pela luta dos trabalhadores, os gerentes das fábricas veem seus planos ameaçados também pela escassez de operários qualificados e de engenheiros. O problema do futuro é como preparar os técnicos especialistas em número suficiente para dirigir as fábricas, que agora estão sendo construídas. Faltam também gerentes de obra confiáveis e capatazes com autoridade e iniciativa, pois é difícil produzir tais homens sob um sistema em que a liberdade não desempenha papel algum. Essa escassez de mão de obra, de mecânicos qualificados e de capatazes com iniciativa não augura nada de bom para o futuro. A organização tem sido extremamente fraca e há poucos países no mundo nos quais a ideia do "vai enganando"* seja tão comum quanto na Rússia.

O sistema de ditadura de um partido levou a muitos defeitos no funcionamento da indústria. Tem havido uma tendência para concentrar as posições de liderança industrial nas mãos dos comunistas e, embora haja muitos postos de destaque nas fábricas, minas, obras e navios soviéticos que são ocupados por homens sem partido, a política tem muitas vezes entrado na esfera puramente econômica. O desejo dos membros do partido de obter triunfos e vitórias, de reivindicar para suas fábricas um "ritmo bolchevique" ou de vencer suas fábricas rivais na competição socialista levou à obtenção de altas estatísticas com perda da qualidade. Um desejo infantil de bater recordes leva à construção de máquinas gigantes, cujo tamanho causa uma impressão deslumbrante nos jornais, em vez de uma máquina feita de uma parte essencial pequena, cujas dimensões poderiam ser insignificantes, mas que seria vital para a produção.

A posição inferior dos engenheiros da velha escola impediu-os até agora de interferir nos esquemas impetuosos dos entusiastas do partido. O medo com o qual foram infligidos durante o inverno passado, quando muitos foram presos por sabotagem e vários foram fuzilados, teve um efeito sério em seus trabalhos. Alguns preferiram fugir às suas responsabilidades e juntar-se às fileiras dos trabalhadores comuns, para não serem presos mais tarde por erros que pudessem ter ocorrido. Eles eram tratados como uma classe à parte, como burgueses e, embora seus salários fossem altos, era difícil para eles obter tanto quanto o trabalhador comum não qualificado, pois esse último estava na segunda categoria. Os privilégios dados aos filhos dos trabalhadores eram negados aos filhos dos engenheiros burgueses.

O resultado dessas condições foi uma situação grave nos três pontos básicos da vida econômica soviética — carvão, ferro e aço e transporte —, o que afetará outras partes do plano. Há brechas no plano de carvão e muitas fábricas terão de ficar ociosas por falta de combustível. A situação nas minas de carvão foi objeto de um decreto do comitê executivo do Partido Comunista, em 15 de agosto. Este afirmava que, apesar do seu crescimento, a indústria do carvão estava ficando para trás e o não cumprimento do seu plano constituía uma ameaça ao programa do ferro-gusa. Hoje, o problema do carvão ocupa a mesma posição que o

---

* No original: *"muddling through"*, quando se desempenha uma tarefa sem ter o conhecimento necessário ou sem ter se preparado para tal.

FOME NA UCRÂNIA

problema dos grãos há alguns anos e se tornou a tarefa mais importante para o país. Um novo esquema de mecanização foi proposto e o plano de produção de carvão foi elevado para 14 milhões de toneladas para o ano de 1933.

Em 8 de setembro, o *Izvestia** publicou um decreto do Conselho Econômico Supremo sobre a situação grave da indústria siderúrgica. Chamava a atenção para o cumprimento extremamente insatisfatório do plano, para a má direção econômica e técnica, para o abandono das fábricas, para o lixo e sujeira espalhados nos pátios, para a escassez deplorável de mão de obra, para a intolerável equiparação de salários e para a falta de peças. Mudanças drásticas foram propostas a fim de melhorar a situação. É sobretudo nos transportes que o andamento do Plano Quinquenal será testado. O transporte tornou-se um ponto de perigo em todo o plano. Grandes quantidades de minério, grãos, alimentos e outras provisões estão ociosas por causa da desorganização das ferrovias.

Esses defeitos nas indústrias básicas são comuns à maioria das fábricas soviéticas. Eles pedem uma solução drástica e uma mudança na política para que o Plano Quinquenal progrida. Tal solução e mudança de política se encontram no discurso de Stalin, de 23 de junho, que agora orienta a política econômica da União Soviética. Seus seis pontos são diariamente incutidos na mente do público por jornais e pelo rádio.

A REAL JUVENTUDE DA RÚSSIA E O FUTURO

The Times

LONDRES, 16 de outubro de 1931. Entre alguns jovens camponeses há um entusiasmo pela socialização em que o amor pelas máquinas joga um grande papel. Esse é um sinal favorável para o futuro da agricultura socialista na União Soviética. Ele está sendo desenvolvido pela difusão da educação em linhas comunistas por todo o país. A luta contra o analfabetismo está sendo travada com energia admirável. Campanhas para encorajar os camponeses a estudar são realizadas pelos pioneiros comunistas e pelos komsomol**, e panfletos e livros são

---

* *Izvestia*: jornal fundado em 1917 com a Revolução Russa. A palavra significa "as notícias" ou "informar".
** Komsomol: organização juvenil do Partido Comunista.

80

distribuídos aos milhões. A eletrificação das aldeias impressionará os jovens. Os clubes são pontos de encontro para a juventude das aldeias — e com o rádio, com os visitantes vindos das cidades, com filmes e com palestras, suas mentes estão sendo moldadas segundo os delineamentos comunistas. Uma batalha real está sendo travada pela mente e pelo coração do jovem camponês. Ele se agarrará ao ideal de "Terra e Liberdade" de seus pais e avós ou se firmará em um sistema socialista de agricultura? Será que o camponês será feliz como um parafuso de uma grande máquina agrícola ou sempre ansiará por seu terreno, sua própria vaca e pela liberdade de comprar e vender como quiser? As próximas décadas mostrarão.

A coletivização da agricultura, que, com sacrifício da felicidade do camponês, dá ao governo o controle sobre os grãos da Rússia, e o programa empresarial delineado por Stalin em junho são dois fatores que apontam para uma próxima melhora na situação industrial e para um fortalecimento do próprio regime. Um terceiro fator é o surgimento dessa nova geração, que se formou no Estado soviético e não tem lembrança da vida nos dias antes da revolução. É sobre a juventude do país que os líderes bolcheviques depositam suas maiores esperanças e é sobre eles que atuam poderosas influências que, com o tempo, resultarão no surgimento de um novo tipo de cidadão. As principais influências são a educação comunista, o culto à máquina, a agitação antirreligiosa, a militarização e a propaganda da revolução mundial.

"Produção"

A educação comunista agora dá maior ênfase ao papel que o futuro cidadão deve desempenhar na produção. Há três anos, foi introduzida a escola "politécnica". No sistema "politécnico", cada escola tem um acordo com uma fábrica ou com uma fazenda coletiva, que os alunos visitam regularmente para estudar os métodos de produção. É notável notar a importância atribuída à palavra "produção", que é cercada por um halo de respeito. Desde cedo, as crianças são apresentadas à vida fabril e aprendem a operar as máquinas. Gera-se um entusiasmo pelas coisas técnicas, e o conhecimento que as crianças têm das máquinas é surpreendente. Assim como o ideal da criança prussiana era se tornar um oficial, agora o ideal da criança soviética é se tornar um engenheiro. Atualmente, está sendo realizada uma ampla campanha pela educação obrigatória para todos e o culto da máquina será, assim, estendido às partes mais distantes da União Soviética. Desfiles de crianças são vistos marchando com faixas com inscrições como "A educação obrigatória é a base da revolução cultural"; "Dê-nos poder técnico"; "Por uma educação de sete anos"; "Lutemos pelo plano, pela rapidez, pela execução do plano em quatro anos". Brinquedos técnicos e políticos são incentivados entre as crianças. Nas vitrines, pode-se ver "um brinquedo político de massa de acordo com a resolução do XVI Congresso do Partido Comunista de Toda a Rússia" chamado "para alcançar e superar os países capitalistas, a execução do Plano Quinquenal na Indústria".

A educação política é dada nas escolas de acordo com o princípio "a história é o registro das lutas de classes". Tal educação é uma base estreita para a formação de uma nova geração, especialmente quando se considera que a música, a arte e a literatura estão todas subordinadas a um objetivo político. "A arte é agitação": tal é o ensinamento que orienta os pensadores comunistas. É inconcebível que não deva haver algum dia uma reação contra essa concepção limitada de todos os ramos do aprendizado como armas da luta de classes.

A antipropaganda é realizada entre os jovens e está alcançando um sucesso notável, pois as crianças acreditam prontamente no que é ensinado nas escolas. Uma mãe religiosa de Leningrado lamentou o fato de que sua filha de 10 anos retornou recentemente de sua aula e exigiu: "Mostre-me Deus! Você não pode. Deus não existe". Por todo o país, cartazes proclamam: "A religião é uma arma de opressão", enquanto as caricaturas satirizam o padre como instrumento do capitalista e amigo do intervencionista. Os comunistas tentam estabelecer uma estreita ligação entre bebida e religião. Cartazes frequentemente observados dizem "O álcool é amigo da religião" e "O homem que faz cerveja caseira e o comerciante ilegal de bebidas alcoólicas são aliados do papa". Essa propaganda ressentida muitas vezes produz um efeito bem diferente do que pretende. Os adeptos de seitas religiosas são numerosos e entre os próprios comunistas há muitos que defendem o ateísmo da boca para fora, mas que no fundo acreditam em Deus. Um padre falou de um comunista em sua aldeia que, em seu leito de morte, confessou sua crença em Deus. Há muitos milhares de cristãos inscritos na Liga dos Jovens Comunistas. "Eu acredito", disse um professor de escola, "mas não posso repetir discursos comunistas com a mesma eloquência de qualquer comissário em Moscou. Se eu não me tornar um jovem comunista, não receberei uma boa educação, então finjo me alegrar com suas palavras estrangeiras prolixas como 'industrialização', mas no que minha língua diz, meu coração não acredita". No entanto, a religião está perdendo terreno entre os jovens e na base religiosa, e a família estável está perdendo também sua importância nas cidades.

Guerra e paz

Uma influência alarmante e potente sobre a juventude é a extrema militarização do país. Um espírito chauvinista está sendo fomentado na União Soviética e a firme crença na inevitabilidade da guerra, que resultará do choque dos sistemas capitalista e comunista, leva a uma intensificação do treinamento de guerra. No teatro, lê-se o apelo em grandes letras vermelhas e brancas: "Esteja preparado a qualquer momento para defender sua pátria socialista". No intervalo entre dois atos de uma *performance* brilhante em uma casa de ópera, uma demonstração de como usar máscara de gás pode acontecer. Dominando a militarização da União Soviética está o medo de uma intervenção estrangeira, e seu princípio orientador é a citação de Lênin: "Nenhuma revolução pode durar a menos que possa se defender". O estudo de Lênin sobre Clausewitz* está hoje dando frutos na ênfase dada à ciência militar. Os membros da Liga dos Jovens Comunistas são incitados a serem líderes na tarefa de difundir o conhecimento militar. Um poderoso instrumento para a formação da população civil é a Sociedade de Aviação e Defesa Química, que hoje conta com 11 milhões de membros. Esta tem numerosas filiais em fábricas e fazendas coletivas, onde homens e mulheres recebem treinamento em tiro e no uso de máscaras de gás. Em muitas fábricas, os exercícios militares regulares são obrigatórios para os membros do partido e para os jovens comunistas. Os comunistas compartilham esse entusiasmo pela preparação para a guerra nas aldeias, e até mesmo os camponeses que vivem a milhares de quilômetros de distância das fronteiras receberam treinamento de defesa química. Em uma fazenda coletiva, a igreja, que tinha sido fechada, estava para ser transformada em Casa da Cultura, sendo que uma parte seria destinada a propósitos militares.

Apesar da completa militarização da Rússia soviética, não há sentimento de agressão, mas sim um desejo entusiasmado pela paz, baseado na necessidade de boas relações com as potências capitalistas, essencial para a industrialização do país. Nada é menos desejável para o Kremlin do que uma aventura estrangeira,

---

* Em 1915, de seu exílio na Suíça, Lênin fez anotações sobre a obra *Da guerra*, de Carl von Clausewitz.

FOME NA UCRÂNIA

que ameaçaria o cumprimento do Plano Quinquenal. Além do mais, a União Soviética está agora concentrada em seus próprios assuntos e ansiosa para realizar o "socialismo em um só país"*, uma política que Trótski condena, de longe**, como "nacional-comunismo" e como uma traição a Marx e Lênin. É verdade que as convicções sobre a inevitabilidade da revolução mundial e a formação final de uma União Mundial das Repúblicas Socialistas Soviéticas continuam inabaláveis como antes. Mas, apesar da crise mundial, elas não são mais representadas como realidades iminentes. Como consequência, a juventude da Rússia é encorajada a se dedicar às tarefas econômicas de construção nacional, e o prestígio da Terceira Internacional sofreu um triste declínio. Deixou de ser o quartel-general dos chefes de governo para tornar-se um grupo de nulidades e deve subordinar seu ardor revolucionário à condução fria do Ministério das Relações Exteriores, que prefere não arriscar créditos e maquinários valiosos em nome de uma revolução fraca na Alemanha. Graves distúrbios no exterior ou revoltas, com as quais os comunistas russos estariam moralmente obrigados a contribuir, seriam um retrocesso em seus planos de industrialização e são desprezados até a União Soviética ficar mais forte.

Tais são as influências marcantes às quais a geração mais jovem da Rússia está exposta. O poder do Partido Comunista para moldar a juventude nas linhas que eles desejam é aumentado pela unidade do partido, que foi alcançada após uma dura luta contra a oposição de direita e esquerda. Raramente existiu tão pouca discordância dentro das fileiras quanto à política a ser seguida. No entanto, o movimento na Rússia soviética para transformar homens e mulheres nas engrenagens de uma grande máquina produtiva e esmagar todo pensamento que colida com a filosofia oficial enfrenta duas barreiras intransponíveis. Estas são a originalidade da mente russa e a paixão humana pela liberdade, que é intensificada pela tirania e que aumentará com a difusão da educação.

---

* "Socialismo em um só país." Em 1925, sob Josef Stalin, o Partido Comunista adota a ideia de consolidar primeiro a revolução na União Soviética. A ideia era oposta à de Trótski, que propunha uma ação internacional sob sua "teoria da revolução permanente".
** Trótski é expulso da União Soviética em 1929. Ele passa a viver em vários países, como Turquia, França, Noruega e México, onde seria morto a mando de Stalin, em 1940.

Previsões para o último inverno

O ano de 1932 chega com novas mudanças no trabalho de Gareth Jones. De início, ele foi realocado dentro do escritório de Ivy Lee e deixou de cobrir assuntos internacionais, passando a trabalhar exclusivamente com o que acontecia em Washington. Em fevereiro, Jones recebeu a notícia de que seria cortado da folha de pagamento. Com a crise se abatendo sobre a economia americana, um em cada três assessores de Lee perdeu o emprego.

Sem o que fazer nos Estados Unidos, Jones retornou para o Reino Unido, onde passou a ajudar David Lloyd George em um livro de memórias. Também retomou as reportagens para outros veículos. Ele seguiu publicando artigos no jornal *The Western Mail* baseados em suas anotações e em conversas com especialistas na Rússia, jornalistas e diplomatas.

Em dois textos com o título *"Vai ter sopa?"*, o jornalista comentou a possibilidade de milhões de pessoas morrerem de fome no inverno do hemisfério norte, na virada do ano 1932 para 1933. Jones já tinha material suficiente para constatar que a colheita tinha sido um fracasso e que não haveria comida suficiente na estação seguinte, "o último inverno do Plano Quinquenal". O período de cinco anos, nos documentos comunistas, expiraria em setembro de 1933.

Hoje, a história nos conta que o Holodomor teve início na primavera de 1932, entre março e junho. A tragédia, portanto, já estava se desenrolando quando Jones publicou os textos a seguir. O Ocidente, contudo, ainda não tinha tomado conhecimento de sua dimensão.

No final de 1932, com as informações que tinha levantado em suas duas primeiras viagens, com entrevistas e com a leitura atenta da imprensa soviética, Jones suspeitou do que estava acontecendo. Ele calculou acertadamente que a fome

FOME NA UCRÂNIA

se alastraria durante o inverno. O ápice, contudo, seria um pouco depois, na primavera de 1933, ainda no primeiro semestre do ano.

A VIÚVA DE LÊNIN CONVERSA COM UM GALÊS

The Western Mail

CARDIFF, 7 de novembro de 1932. Quinze anos atrás, Lênin sacudiu o mundo. Como líder dos bolcheviques, ele tomou o poder sobre um sexto do globo e instalou uma ditadura da classe trabalhadora pela primeira vez na história.

Por muitos anos, ele elaborou cada detalhe de seu esquema. Na sala de leitura do Museu Britânico, em Londres, seu cérebro aguçado penetrou nos segredos de todas as revoluções ocorridas. O falecido Sr. Silyn Roberts se lembrava de tê-lo visto trabalhando lá, mas não percebeu que o russo de aparência asiática e olhos estreitos sentado ao seu lado na sala de leitura um dia seria o mestre da União das Repúblicas Socialistas Soviéticas.

Provavelmente, muitos estudantes galeses que frequentaram o Museu Britânico o viram preparando sua filosofia e seus planos de ação, que levariam à primeira revolução proletária, mas não sabiam que seu colega era uma das grandes figuras da história.

"Se ao menos Lênin tivesse vivido!", é o grito que se ouve hoje em todos os lados da Rússia, pois ele despertou o amor dos camponeses por seu pragmatismo e por sua Nova Política Econômica, em 1921, que restaurou a liberdade de comércio e abandonou o socialismo nas aldeias.

Nas cidades, Lênin é adorado por milhões, que guardam sua fotografia, assim como valorizam seu ícone. Milhares se aglomeram todos os dias na vasta Praça Vermelha de Moscou, onde, em um mausoléu de mármore vermelho, seu corpo embalsamado jaz à vista de todos. Lá, o autor da Revolução Russa de quinze anos atrás pode ser visto imóvel em um caixão de vidro guardado por dois soldados vermelhos, que estão quase tão imóveis quanto o cadáver que defendem. Trabalhadores, camponeses, crianças com lenços vermelhos passam na penumbra, sem sussurrar uma palavra enquanto concentram seus olhares no corpo de Lênin.

Quase tão marcante quanto a personalidade do próprio líder bolchevique é sua viúva, que me recebeu no Comissariado da Educação em Moscou.

86

PREVISÕES PARA O ÚLTIMO INVERNO

Ela acompanhou corajosamente o marido em todos os seus exílios, na Sibéria, em Londres, na Suíça e em outros lugares, e o ajudou em seus estudos e em seus planos.

Ela é um exemplo típico da força motriz que as esposas de grandes homens inspiram em seus maridos. Como Lênin, que vinha de uma pequena nobreza, ela não era uma mulher da classe trabalhadora, embora toda a sua vida fosse dedicada aos trabalhadores. Eles não tiveram filhos, mas a viúva de Lênin se dedica ao cuidado dos filhos da União Soviética e é conhecida como "Mãe da Rússia".

Desde que Lênin morreu, em janeiro de 1924, ela passou a maior parte de seu tempo melhorando a educação na União Soviética. No entanto, ela tem sido associada à oposição a Stalin, e suas relações reais com o atual ditador não são tão cordiais como dizem na imprensa oficial.

A anedota sussurrada em Moscou é que Stalin e ela tiveram uma briga. De repente, Stalin perdeu a paciência, virou-se para ela e gritou: "Olhe aqui, velha, se você não se comportar, vou nomear outra viúva para Lênin!".

Seria melhor, portanto — pensei, enquanto subia os degraus de pedra do quarto dela —, não falar de política, mas de educação. Fui levado a um escritório muito pequeno e muito vazio, cuja única decoração era uma grande fotografia de Lênin.

Reconheci à mesa a mulher cuja imagem eu vira reproduzida por toda a Rússia. Com mais de 60 anos, ela tinha cabelos brancos acinzentados, penteados para trás sobre a cabeça, e usava um vestido xadrez muito simples. Suas maneiras indicavam uma pessoa em quem a bondade e a cortesia eram naturais. O sorriso que mostrava estava cheio de simpatia, e ela me causou uma impressão de completo altruísmo, trabalho duro, autossacrifício e absoluta ausência de preocupação com o conforto material. Seus traços faciais eram irregulares, pois ela tinha grandes pálpebras salientes e seus lábios eram levemente torcidos.

Durante uma hora, ela falou em russo claro e simples sobre os objetivos educacionais dos comunistas. Colocou uma tremenda ênfase na produção e na necessidade de aumentá-la e mencionou a palavra "produção" no mesmo tom que um ministro galês pode mencionar Deus ou a religião.

As crianças devem aprender tudo sobre produção, afirmou. Elas devem ser capazes de entender as máquinas — e, no modo como ela disse "máquinas", eu vi o culto às coisas técnicas que é típico da Rússia hoje. Também me disse que, para que as crianças pudessem aprender sobre máquinas e fábricas, havia sido introduzido um novo sistema de educação, chamado "ensino politécnico", pelo qual

FOME NA UCRÂNIA

cada escola era ligada a uma fábrica. Os alunos deviam visitar a fábrica com frequência e, assim, conhecer os processos de produção.

Enquanto ela falava, eu me perguntava se ela não estava dando muita ênfase ao material e ao conhecimento técnico na Rússia e se não havia outras coisas, como a liberdade, incluindo a de expressão e a religiosa, que eram infinitamente mais importantes.

A viúva de Lênin descreveu então os grandes avanços que foram feitos na educação na Rússia. Havia uma onda de entusiasmo entre os trabalhadores para estudar e, em algumas fábricas, disse ela, quase todos os trabalhadores frequentavam as aulas noturnas após o trabalho do dia. Os operários das fábricas iam às aldeias para ensinar os camponeses a ler e escrever — e o analfabetismo estava desaparecendo. Algumas pessoas de 80 anos de idade estavam agora decididas a estudar o alfabeto. As bibliotecas estavam espalhadas por toda a Rússia.

De repente, ela ficou excitada ao me contar a respeito de uma carta que recebera de um professor alemão perguntando se era verdade que os comunistas queriam tirar as crianças dos pais e colocá-las em cidades infantis. Não, ela exclamou; isso certamente não era verdade. A criança deve ter relações com sua família, porque deve aprender sobre a vida, sobre as fábricas, sobre os trabalhadores.

Sua ideia era ter grandes casas comunais nas quais um andar inteiro fosse dedicado às crianças durante o dia. Lá, elas estariam sob os cuidados de psicólogos treinados. À noite, porém, as crianças dormiriam no apartamento dos pais.

A viúva de Lênin estava animada com a forma como as mulheres estavam entrando mais nas fábricas e se tornando trabalhadoras ativas, e elogiou as mães da Rússia porque agora estavam quase todas trabalhando em algum ramo da produção.

Quando a deixei, senti que estava cara a cara com uma grande personalidade, mas duvidava que um sistema de educação que não tivesse lugar para a liberdade de pensamento conseguiria criar uma geração de homens verdadeiramente educados que pensassem por si mesmos.

VAI TER SOPA? A RÚSSIA TEME O INVERNO QUE SE APROXIMA

The Western Mail

CARDIFF, 15 de outubro de 1932. "Vai ter sopa?" Essa é uma pergunta que os homens e mulheres da União Soviética estão fazendo ansiosamente, com pavor, quando pensam nos rigores do inverno russo que se aproxima. É uma pergunta que está sendo feita não apenas na Rússia comunista, mas também na América capitalista: mas na Rússia as vozes dos questionadores estão carregadas de maior medo, porque a colheita falhou e a comida não está lá.

Tenho diante de mim um exemplar do *Izvestia*, órgão do governo soviético e um jornal que frequentemente critica de maneira aberta os fracassos do Plano Quinquenal. Isto é o que li no número de 5 de outubro, em um artigo sobre a Bacia do Donets (o Glamorgan da Rússia), que produz carvão, ferro e aço:

"Nas lojas de Makeysvka (o Pontypridd* da União Soviética), as esposas dos trabalhadores esperam por legumes. De vez em quando, passa um caminhão carregado. Uma chuva fina de outono cai monotonamente. A dona de casa espera... A atendente da loja tenta acalmá-la. 'Ei, não fique agitada, camarada dona de casa!' Mas ela olha para uma cesta vazia, pensa no inverno, pensa no repolho, nas batatas e nos tomates e faz uma pergunta: 'Vai ter sopa?'."

No interior

Este é o maior problema do governo soviético no último ano do Plano Quinquenal, que termina em 31 de dezembro.

Por que há pouca sopa? Por que tem pouca carne? Por que o pão está começando a ser racionado novamente?

Na busca de respostas para essas perguntas, fui ao interior da Rússia, conversei em russo com vários camponeses, fiquei em cabanas de madeira e dormi nos seus chãos infestados de insetos.

Eu costumava pegar um trem sem saber meu destino, descer em alguma pequena estação e caminhar quilômetros até chegar à Rússia real. E então eu

---

* Pontypridd: cidade galesa conhecida pelas indústrias de carvão, ferro e aço.

FOME NA UCRÂNIA

aprendi da boca dos próprios camponeses por que não havia sopa suficiente. Era um quadro bem diferente daquele que os comunistas pintaram para mim em Moscou. Um jovem bolchevique arguto e forte disse para mim, no Comissariado da Agricultura:

"No Plano Quinquenal, vamos socializar a agricultura. Vamos varrer para longe o agricultor privado. Ao final do plano, nenhum camponês terá terras. As aldeias serão transformadas em fazendas coletivas onde o terreno, as vacas, os cavalos e os porcos serão de propriedade comum, e a terra será arada em comum por tratores. A propriedade privada é uma maldição e vamos aboli-la nas aldeias. Nossos novos métodos estão aumentando as colheitas e produzindo um campo feliz e saudável."

Perguntas dos camponeses

Certamente, não foi um interior saudável e feliz que encontrei quando, depois de uma longa caminhada pelos campos, eu caminhei à noite para uma aldeia perto do Volga, a cerca de 2 mil quilômetros de onde o jovem comunista bem fornido tinha falado comigo.

O sol havia se posto com um resplendor vermelho profundo; abaixo, as estepes que se estendiam para o leste tornaram-se mais escuras e sombrias. Vi uma luz na janela de uma cabana de madeira, bati, entrei e vi um grupo de camponeses desgrenhados e rudes.

Eles me encararam com espanto e logo todos se reuniram ao meu redor. De onde eu tinha vindo? Era verdade que haveria uma revolução bolchevique na Inglaterra? Alguém poderia obter carne na América? Eu ficaria em uma das cabanas?

Eles se movimentavam ao meu redor com perguntas e ofereceram hospitalidade. Em pouco tempo, eu estava sentado em uma cabana simples de camponês, conversando com a sua esposa e com crianças esfarrapadas e de rosto manchado engatinhando e correndo em volta.

"Há comida suficiente na Rússia?", perguntei. Ela ficou agitada e disse: "Claro que não. Como poderia haver? Eles tomaram a terra de nós para fazer essas fazendas coletivas comunistas. Queremos nossa própria terra. E veja o que eles fizeram com nossas vacas. Meu marido e eu tínhamos uma bela vaca. Eles a tiraram de nós e colocaram todas as vacas da aldeia juntas, agora ela está magra e esquelética e não temos leite suficiente".

Agricultura coletiva

Houve uma batida na porta. Entrou um belo camponês de cabelos negros com olhos brilhantes e dentes brancos proeminentes. Ele hesitou em falar antes de tudo, mas logo criou confiança e disse: "É uma vida de cachorro agora, desde que nos forçaram a entrar nessas fazendas coletivas. Os anos de 1926 e 1927 foram bons anos, quando ainda tínhamos nossa própria terra. Mas seria melhor estar debaixo da terra do que viver agora. Eles nos tiraram terra, vaca e pão. Quase todos os nossos grãos — e eram poucos — foram carregados e enviados para as cidades, e estamos com medo de falar. O que faremos durante o inverno?". Ele terminou com um gemido de desespero.

Foi isso o que ouvi da boca de camponeses em muitas partes da Rússia. "Por que devemos trabalhar?", eles perguntaram. "Nossas terras e vacas foram tiradas de nós. Devolvam-nos a nossa terra." Portanto, eles não cultivam a terra tão cuidadosamente.

VAI TER SOPA? A RÚSSIA FAMINTA SOB O PLANO QUINQUENAL

The Western Mail

CARDIFF, 17 de outubro de 1932. No meu primeiro artigo sobre as condições atuais da Rússia, publicado no *The Western Mail* de sábado, eu falei sobre o fracasso das colheitas sob o Plano Quinquenal.

Uma razão pela qual a colheita de todas as plantações, de vegetais e grãos, falhou é que alguns milhões dos kulaks (os camponeses mais ricos) mais enérgicos foram exilados. Ouvi de manhã um relato disso, depois de passar uma noite no piso de madeira do quarto abafado que dividia com toda a família dos camponeses.

Caminhei para ver o presidente comunista do soviete da aldeia, um jovem de rosto quadrado, com um boné militar verde. "Suba na minha carroça", disse ele, e, em poucos minutos, estávamos tropicando sobre os campos da fazenda coletiva.

"Tivemos uma grande vitória aqui", disse ele, enquanto olhávamos para as várias centenas de cabanas na aldeia. "Derrotamos os kulaks, aqueles camponeses que tinham muita terra e empregavam mão de obra. Exilamos 14 famílias daqui e agora estão cortando lenha nas florestas do Norte ou trabalhando na Sibéria. Devemos extirpá-los porque eles são da classe inimiga. Nós enviamos o último kulak há um mês."

Contrarrevolução

"O que esse último fez?", perguntei.

"Ele era muito religioso e tinha uma seita própria. Costumava reunir os camponeses em sua cabana e dizer-lhes que o comunista queria que os camponeses passassem fome, mas que haveria uma guerra e que, quando ela acontecesse, o papa de Roma viria à sua aldeia e enforcaria todos os comunistas. Isso era uma contrarrevolução. Então nós o mandamos embora. Esses kulaks são terríveis. Foram eles que incitaram os camponeses a massacrar seu gado."

E ele me contou como o abate de gado e de cavalos em toda a Rússia era outra razão pela qual a comida era escassa. Stalin, em um discurso, em junho de 1930, estimou que um terço do gado e pelo menos um quinto dos cavalos da Rússia foram massacrados por camponeses que não queriam entregar em troca de nada os animais para as fazendas coletivas.

Transporte ruim

Alguns dias depois de minhas conversas nessa aldeia, eu estava sentado em um trem em velocidade lenta que, seis dias antes, tinha saído de Tashkent, na Ásia Central, e agora me transportava de Samara para Moscou.

Olhei pela janela e, de repente, vi uma massa de vagões destroçados sobre os trilhos. Houve um acidente e um trem de mercadorias obviamente tinha descido trepidando pela ladeira. Isso me deu outra pista de por que a comida era tão pouca: é que o transporte é ruim.

No âmbito do Plano Quinquenal, esforços corajosos foram feitos para melhorar o sistema ferroviário. Quilômetros de novas linhas de trem foram construídos, várias novas locomotivas soviéticas foram produzidas, mas as ferrovias ainda estão em um estado muito insatisfatório e isso dificulta o transporte de grãos e vegetais.

Era a mesma coisa na antiga Rússia do czar, onde podia haver fome grave em uma região e abundância em outra. Hoje, as ferrovias estão lotadas e os trens de carga ficam parados por dias, enquanto a comida dentro dos vagões estraga.

Má gestão

Se os trens funcionam mal, a comida é mal distribuída. Legumes e frutas têm que esperar dias por um trem. Na sexta-feira, 7 de outubro, o *Izvestia* tinha um exemplo disso. Eu li: "No outono passado, na cidade de Kaluga, montanhas de repolhos estavam sendo empilhadas no centro da cidade, na Praça Lênin. As pirâmides verdes e brancas ficavam cada vez maiores a cada dia. Então, começou a chover e só quando os repolhos começaram a apodrecer é que se fez alguma coisa. Foi usado como ração para o gado e para alimentar os porcos. Em uma palavra, havia um constante 'pânico de repolho' em Kaluga". Tal má gestão é um grande obstáculo ao cumprimento do Plano Quinquenal.

Previsão sombria

Não é à toa que o órgão principal do governo soviético tenha notícias da escassez da safra e informe que as colheitas de grãos na Ucrânia também passaram por uma seca. O norte do Cáucaso e o baixo Volga (as principais áreas de grãos) foram extremamente insatisfatórios, e apenas 40% do Plano de Grãos de julho e 60% do plano de agosto foram executados.

O jornal do governo afirma que, em vez de 25 mil toneladas de batatas, a vasta Ucrânia produziu apenas 9 mil. Dá números que mostram que as plantas industriais, como a beterraba-sacarina, só cumpriram uma pequena parte do plano.

Ele revela que a semeadura de grãos no inverno aconteceu em uma escala muito menor do que no ano passado. Mostra que a quantidade de vegetais nas principais cidades é desastrosamente pequena. Afirma que falta abrigo para 1,5 milhão de cabeças de gado.

Em suma, prevê que neste último inverno do Plano Quinquenal a pergunta continuará sendo: vai ter sopa?

Terceira viagem à URSS

O conhecimento sobre a fome na União Soviética aparece desde a primeira carta que Gareth Jones enviou para sua família, quando ainda estava retornando desse país. A partir da primavera de 1932, em março, a situação piorou significativamente. Foi quando ocorreu o Holodomor, a morte pela fome de quase 4 milhões de pequenos agricultores ucranianos.

Embora a situação fosse largamente conhecida pelos diplomatas estrangeiros que viviam na União Soviética e se comunicavam com seus superiores em seus países, o desejo de se unir aos soviéticos em uma provável guerra contra o nazista Adolf Hitler fez com que muitos permanecessem em silêncio sobre o assunto. A natureza discreta da carreira diplomática também os impediu de relatar o que acontecia para um público mais amplo.

Porém, muitos órgãos de imprensa estrangeiros furaram corajosamente o bloqueio imposto pelos soviéticos. Quem primeiro noticiou no exterior o Holodomor foi a jornalista judia canadense Rhea Clyman. Ela atravessou de carro a URSS, trabalhando como guia e intérprete de duas americanas de Atlanta que estavam em busca de aventura. Detida pela polícia secreta na Geórgia, no verão de 1932, Rhea foi deportada. Ela então publicou 44 reportagens, entre setembro de 1932 e junho de 1933, no jornal *Toronto Evening Telegram*, sobre os efeitos desastrosos da coletivização das terras e o deslocamento forçado de camponeses. Com 28 anos, Rhea relatou uma conversa em que a mãe dizia que seus filhos estavam comendo grama em Kharkiv para sobreviver. Também falou de pessoas sendo punidas com a morte por terem roubado milho nas fazendas coletivas. Contudo, como o jornal era pouco conhecido, as notícias tiveram pouca repercussão.

Outro jornalista que publicou reportagens sobre o Holodomor antes de Jones foi o britânico Malcolm Muggeridge, correspondente do *Manchester Guardian*. Ele viajou para a Ucrânia no dia 5 de fevereiro de 1933. Em seu texto não assinado "Os soviéticos e os camponeses", ele diz que "dizer que há fome em algumas das partes mais férteis da Rússia é dizer muito menos do que a verdade: não há apenas fome, mas [...] um estado de guerra, uma ocupação militar". Suas matérias foram publicadas no *Manchester Guardian*, entre 25 e 28 de março.

A preocupação soviética em evitar que o mundo tomasse conhecimento do desespero dos ucranianos fez com que a ditadura proibisse a viagem de jornalistas estrangeiros para fora de Moscou, em 23 de fevereiro de 1933. Jones foi, portanto, o primeiro a transpor essa barreira. Ele conseguiu isso principalmente porque, tendo sido secretário de Lloyd George, tinha um passaporte diplomático.

Nessa época, Jones estava ajudando o ex-primeiro-ministro em um livro de memórias. A URSS era um tema corrente das conversas entre os dois. Em certa ocasião, Lloyd George teceu elogios a Stalin. Em uma carta para sua família, Jones compilou frases do ex-primeiro-ministro: "Stalin está tentando um experimento. É claro, ele falha, mas reconhece seus erros. Ele é homem o suficiente. Eu tiro o meu chapéu para Stalin e para Mussolini".

O trabalho com Lloyd George, porém, não tem relação com a terceira viagem à União Soviética. Com a aproximação do fim de seu período com o político, Jones planejou uma viagem de dois meses passando pela Alemanha e pela União Soviética. Seu objetivo era vender reportagens para diversos veículos trabalhando como um jornalista *freelancer*, sem contrato de trabalho.

Na Alemanha, Jones pôde acompanhar algumas atividades do nazista Adolf Hitler. O galês e outro correspondente foram os primeiros jornalistas estrangeiros, e os dois não nazistas, a voar com o chanceler recém-nomeado. "Os ocupantes da aeronave são uma massa de dinamite humana. Eu posso ver Hitler estudando o mapa e lendo vários relatórios", escreveu Jones em sua reportagem sobre a viagem, no *The Western Mail*. "Como um homem com aparência comum conseguiu ser endeusado por 14 milhões de pessoas?"

Jones entrou na Rússia no dia 4 de março de 1933. "Com os gritos de *Heil Hitler* ressoando em meus ouvidos, eu me preparo para deixar a Alemanha, a terra em que uma ditadura acabou de começar, para ir à terra da ditadura da classe trabalhadora", afirmou em uma reportagem. Ele, então, já tinha negociado a venda de reportagens para a revista *The Economist* e para os jornais *The London*

Evening Standard, The Daily Express, The Western Mail e *Financial News*. Todas as despesas da viagem foram pagas pelo próprio Jones. O jornalista também combinou de dar uma palestra no Instituto Real de Relações Internacionais, uma organização civil voltada ao debate de questões globais e que hoje é conhecida como Chatham House.

Logo que ele deixou a URSS pela terceira vez, dois correspondentes americanos que viviam na Alemanha publicaram suas conversas com Jones nos jornais *New York Evening Post* e no *Chicago Daily News*. "Jones viu a fome em uma escala gigantesca e a retomada do terror assassino", escreveu um deles. Em suas matérias, eles anunciaram a coletiva de imprensa de Jones, em 30 de março, no Instituto Real de Relações Internacionais. Em seguida, no dia 31, saiu a primeira reportagem de Jones no jornal *London Evening Standard* sobre o Holodomor.

A FOME DOMINA A RÚSSIA. O PLANO QUINQUENAL ACABOU COM O SUPRIMENTO DE PÃO

The London Evening Standard

LONDRES, 31 de março de 1933. Alguns dias atrás, eu fiquei na cabana de um operário, nos arredores de Moscou. Um pai e um filho — o pai, um trabalhador russo especializado em uma fábrica de Moscou e o filho, um membro da Liga dos Jovens Comunistas — olhavam um para o outro.

O pai, tremendo de agitação, perdeu o controle de si mesmo e gritou com o filho comunista: "É terrível agora. Nós, trabalhadores, estamos morrendo de fome. Olhe para Chelyabinsk, onde trabalhei uma vez. A doença por lá está levando muitos de nossos trabalhadores e a pouca comida é intragável. Isso é o que vocês fizeram com a nossa Mãe Rússia".

O filho gritou de volta: "Mas olhe para as indústrias gigantes que construímos. Veja os novos trabalhos com tratores. Olhe para o Dniepostroy. Vale a pena sofrer por essa construção".

"Construção mesmo!", foi a resposta do pai. "Qual é a utilidade da construção quando vocês destruíram tudo o que há de melhor na Rússia?"

O que esse trabalhador disse é o que pelo menos 96% do povo da Rússia está pensando. Houve construção, mas, no ato da construção, tudo o que havia de melhor na Rússia desapareceu. O principal resultado do Plano Quinquenal foi a ruína trágica da agricultura russa. Essa ruína eu vi em sua realidade sombria. Caminhei por várias aldeias na neve de março. Eu vi crianças com barrigas inchadas. Eu dormi em cabanas de camponeses, às vezes com nove pessoas em um quarto. Conversei com todos os camponeses que encontrei, e a conclusão geral que tiro é que o estado atual da agricultura russa já é catastrófico, mas que, em um ano, sua condição terá piorado dez vezes.

O que os camponeses disseram? Havia um grito que ressoava em todos os lugares que eu ia e era: "Não há pão". A outra frase, que foi o fio condutor da minha visita à Rússia, era: "Todos estão inchados". Mesmo a poucos quilômetros de Moscou não há mais pão. Enquanto percorria o interior daquele distrito, conversei com várias mulheres que caminhavam com sacos vazios em direção a Moscou. Todas disseram: "É terrível. Não temos pão. Temos que ir até Moscou para comprar pão e então eles só nos dão dois quilos, que custam três rublos (seis xelins nominalmente). Como um pobre pode viver?".

"Você tem batatas?", perguntei. Todos os camponeses a quem perguntei mexeram negativamente a cabeça com tristeza.

"E as suas vacas?", era a próxima pergunta. Para o camponês russo, a vaca significa riqueza, comida e felicidade. É quase o ponto central em torno do qual sua vida gravita.

"Quase todo o gado morreu. Como podemos alimentar o gado quando só temos feno para comer?"

"E os seus cavalos?", foi outra pergunta que fiz em todas as aldeias que visitei. O cavalo agora é uma questão de vida ou morte, porque, sem cavalo, como se pode arar a terra? E, se não se pode arar, como se irá semear para a próxima colheita? E, se não se pode semear para a próxima colheita, então a morte é a única perspectiva no futuro.

A resposta significou a ruína para a maioria das aldeias. Os camponeses disseram: "A maioria dos nossos cavalos morreu e temos tão pouca forragem que os restantes estão todos mirrados e doentes".

Se a situação é grave agora e se milhões estão morrendo nas aldeias, como realmente estão, pois não visitei uma única aldeia onde muitos não morreram, como será daqui a um mês? As batatas que sobraram estão sendo contadas uma a uma, mas em muitos lares as batatas acabaram há muito tempo. A beterraba, que era usada como forragem para o gado, pode acabar em muitas cabanas antes que o novo alimento chegue em junho, julho e agosto, e muitos sequer têm beterraba.

FOME NA UCRÂNIA

A situação é mais grave do que em 1921, como todos os camponeses afirmaram enfaticamente. Nesse ano, houve fome em várias regiões grandes, mas na maioria das áreas os camponeses podiam viver. Foi uma fome localizada, que teve muitos milhões de vítimas, especialmente ao longo do Volga. Mas hoje a fome está por toda parte, na antigamente rica Ucrânia, na Rússia, na Ásia Central, no norte do Cáucaso — em todos os lugares.

E as cidades? Moscou ainda não parece ter sido tão atingida, e ninguém que fique em Moscou pode ter a menor ideia do que está acontecendo no campo, a menos que fale com os camponeses que percorreram centenas e centenas de quilômetros até a capital para procurar pão. As pessoas em Moscou estão agasalhadas e muitos dos trabalhadores qualificados, que comem sua refeição quente todos os dias na fábrica, estão bem-alimentados. Alguns dos que ganham salários muito bons, ou que têm privilégios especiais, parecem bem-vestidos, mas a grande maioria dos trabalhadores não qualificados está sentindo o aperto.

Conversei com um trabalhador que carregava um pesado baú de madeira. "É terrível agora", disse ele. "Eu recebo um quilo de pão por dia e é pão podre. Não recebo carne nem ovos, nem manteiga. Antes da guerra, eu costumava pegar muita carne e era barato. Mas não como carne há um ano. Os ovos custavam apenas um copeque antes da guerra, mas agora são um grande luxo. Tomo um pouco de sopa, mas não é suficiente para viver."

E agora um novo pavor visita o trabalhador russo. É o desemprego. Nos últimos meses, muitos milhares foram demitidos de fábricas em muitas partes da União Soviética. Perguntei a um homem desempregado o que tinha acontecido com ele. Ele respondeu: "Somos tratados como gado. Eles nos enxotam, e não recebemos nenhum cartão de racionamento de pão. Como eu posso viver? Eu costumava ganhar meio quilo de pão por dia para toda a minha família, mas agora não tenho o cartão de pão. Tenho que sair da cidade e ir para o campo, onde também não tem pão".

O Plano Quinquenal construiu muitas fábricas excelentes. Mas é o pão que faz girar as rodas das fábricas, e o Plano Quinquenal destruiu o suprimento de pão da Rússia.

As desavenças com Walter Duranty, do *The New York Times*

No mesmo dia em que Gareth Jones publicou sua primeira reportagem após deixar a União Soviética em meio ao Holodomor, o jornal americano *The New York Times* divulgou uma matéria questionando os relatos do jornalista galês. "Os russos têm fome, mas não estão famintos", dizia o título. O autor era o correspondente do jornal em Moscou, Walter Duranty, um jornalista próximo do regime soviético (em 1949, o escritor britânico George Orwell o incluiu em uma lista de jornalistas que, em sua opinião, eram "criptocomunistas, colegas de viagem ou pessoas que se inclinam para esse lado, e que não são confiáveis porque são propagandistas").

Por conhecer bastante a União Soviética e ter larga experiência, Duranty recebia frequentemente os jornalistas estrangeiros que viajavam para Moscou. Ele esteve com Jones em pelo menos três momentos: em 1931, quando Jones estava acompanhando Jack Heinz II, em 1933, antes de sua incursão pela Ucrânia faminta, e depois dessa viagem, antes de Jones deixar o país.

Para publicar uma reportagem refutando as ideias de Jones no dia 31 de março, Duranty precisou enviar seu texto um pouco antes. Não teve tempo, portanto, de receber notícias da coletiva de imprensa de Jones em Berlim ou de ler sua primeira reportagem exclusiva no *London Evening Standard*. Assim, Duranty se baseou principalmente nas conversas pessoais que teve com o galês. Em seu texto, o correspondente do *The New York Times* atacou o colega diretamente.

FOME NA UCRÂNIA

"Parece que, de uma fonte britânica, surgiu uma grande história assustadora na imprensa americana sobre a fome na União Soviética, falando de 'milhares já mortos e milhões ameaçados de morte e inanição'", escreve Duranty. "Seu autor é Gareth Jones, ex-secretário de David Lloyd George e que recentemente passou três semanas na União Soviética e chegou à conclusão de que o país estava 'à beira de um terrível desastre'."

Duranty argumentou que o julgamento de Jones teria sido "um tanto precipitado". Isso porque Jones fez uma caminhada de "uns 60 quilômetros" pelos vilarejos das vizinhanças de Kharkiv, o que seria "uma seção transversal bastante inadequada de um país gigantesco". Duranty defendeu que não havia escassez de comida nas grandes cidades nem no Exército. "Não há fome real ou mortes por fome, mas há mortalidade generalizada por doenças devido à desnutrição", escreve. Ele também ridiculariza Jones, dizendo que o galês lhe contou não ter visto nenhum animal morto ou cadáver humano.

O americano ainda tentou justificar aquilo que ele chamou de suposta situação de fome: "Colocando de modo mais brutal: não se pode fazer uma omelete sem quebrar os ovos". Duranty diz que, para formar sua opinião, fez "investigações exaustivas" falando com comissariados soviéticos, diplomatas estrangeiros e especialistas britânicos. "Tudo isso me parece uma informação mais confiável do que eu poderia obter por uma breve viagem por qualquer área", escreveu.

Em 13 de maio, já depois de publicar uma série de reportagens sobre sua viagem em outros veículos, Gareth Jones publicou uma resposta a Duranty no *The New York Times*.

A RESPOSTA DE GARETH JONES

Ao editor do The New York Times,

LONDRES, 1º de maio de 1933. Ao retornar da Rússia, no final de março, fiz duas afirmações em uma entrevista em Berlim: que, em todos os lugares aos quais ia nas aldeias russas, eu ouvia o grito "Não há pão, estamos morrendo", e que havia fome na União Soviética, ameaçando a vida de milhões de pessoas.

Walter Duranty, a quem devo agradecer por sua contínua bondade e ajuda a centenas de visitantes americanos e britânicos a Moscou, imediatamente

100

telegrafou um artigo negando a fome. Ele sugeriu que meu julgamento se baseava apenas em uma caminhada de 60 quilômetros pelas aldeias. Afirmou que havia indagado nos comissariados soviéticos e nas embaixadas estrangeiras e chegara à conclusão de que não havia fome, mas que havia uma "grave escassez de alimentos em todo o país [...] mortalidade generalizada por doenças devido à desnutrição".

Evidências de várias fontes

Embora concordando parcialmente com minha declaração, ele deu a entender que meu relatório era uma "história escabrosa" e o comparou com certas profecias fantásticas da queda soviética. Ele também fez uma estranha sugestão de que eu estava prevendo a ruína do regime soviético, previsão que nunca arrisquei.

Mantenho minha declaração de que a Rússia soviética está sofrendo com uma fome grave. Seria tolice tirar essa conclusão de minha caminhada por uma pequena parte da vasta Rússia, embora deva lembrar ao Sr. Duranty que essa foi minha terceira visita à Rússia, que dediquei quatro anos de vida universitária ao estudo da língua e história russas e que só nesta última ocasião visitei vinte aldeias, não só na Ucrânia, mas também no distrito da terra preta e na região de Moscou, e que dormi em cabanas de camponeses, sem partir imediatamente para a próxima aldeia.

Minha primeira evidência foi recolhida de observadores estrangeiros. Uma vez que o Sr. Duranty fala de cônsules na discussão, algo que detesto fazer, pois eles são representantes oficiais de seus países e não devem ser citados, devo dizer que discuti a situação russa com vinte a trinta cônsules e representantes diplomáticos de várias nações e que suas evidências apoiaram meu ponto de vista. Mas eles não têm permissão para expressar suas opiniões na imprensa e, portanto, permanecem em silêncio.

Jornalistas têm deficiências

Os jornalistas, por outro lado, podem escrever, mas a censura os transformou em mestres do eufemismo e das meias-verdades. Por isso, eles dão à "fome" o nome educado de "escassez de alimentos", e "morrer de fome" é suavizado para ser lido

FOME NA UCRÂNIA

como "mortalidade generalizada por doenças devido à desnutrição". Os cônsules não são tão vacilantes em conversas privadas.

Minha segunda evidência foi baseada em conversas com camponeses que migraram para as cidades de várias partes da Rússia. Camponeses das partes mais ricas da Rússia que foram para as cidades em busca de pão. Suas histórias sobre mortes nas aldeias por fome e sobre a morte da maior parte de seu gado e cavalos eram trágicas, e cada conversa corroborava a anterior.

Terceiro, minha evidência foi baseada em cartas escritas por colonos alemães na Rússia, pedindo ajuda a seus compatriotas na Alemanha. "Os quatro filhos do meu irmão morreram de fome", "Não temos pão há seis meses", "Se não recebermos ajuda do exterior, não resta nada além de morrer de fome." Essas são passagens típicas dessas cartas.

Declarações dos camponeses

Quarto, reuni evidências de jornalistas e especialistas técnicos que estiveram no interior. No *The Manchester Guardian*, que tem sido extremamente simpático ao regime soviético, apareceu em 25, 27 e 28 de março uma excelente série de artigos sobre "O soviético e o campesinato" (que não foi submetida ao censor). O correspondente*, que visitou o norte do Cáucaso e a Ucrânia, afirma: "Dizer que há fome em algumas das partes mais férteis da Rússia é dizer muito menos do que a verdade: não há apenas fome, mas — no caso do norte do Cáucaso, pelo menos — um estado de guerra, uma ocupação militar". Sobre a Ucrânia, ele escreve: "A população está morrendo de fome".

Minha evidência final é baseada em minhas conversas com centenas de camponeses. Eles não eram os "kulaks" — aqueles míticos bodes expiatórios da fome na Rússia —, mas camponeses comuns. Conversei com eles sozinho em russo e anotei suas conversas, que são uma acusação irrefutável da política agrícola soviética. Os camponeses diziam enfaticamente que a fome é pior do que em 1921 e que seus compatriotas tinham morrido ou estavam morrendo.

O Sr. Duranty diz que eu não vi, nas aldeias, nem seres humanos mortos nem animais. Isso é verdade, mas não é preciso um cérebro particularmente

---

* O britânico Malcolm Muggeridge, do *Manchester Guardian*.

arguto para compreender que mesmo nos distritos de fome russos os mortos são enterrados e que ali os animais mortos são devorados.

Posso, em conclusão, parabenizar o Ministério das Relações Exteriores soviético por sua habilidade em ocultar a verdadeira situação na URSS? Moscou não é a Rússia, e a visão de pessoas bem-alimentadas tende a esconder a verdadeira Rússia.

Gareth Jones

Testemunha do Holodomor

Além de sua primeira reportagem no *London Evening Standard*, as perambulações de Gareth Jones pela União Soviética renderam mais vinte reportagens, publicadas em diversos jornais, às vezes simultaneamente.

Nelas, Jones também se referiu a notícias recentes, como a prisão de seis engenheiros britânicos da empresa Metro-Vickers pela polícia secreta, o OGPU. A detenção dos profissionais ocorreu no dia 12, quando Jones ainda estava na URSS, e comoveu a opinião pública.

O jornalista também publicou uma conversa com o ex-primeiro-ministro russo Alexander Kerensky, que era da ala menchevique, mais moderada, do Partido Revolucionário Socialista. Após a Revolução Russa de fevereiro de 1917 (que ocorreu em março, no calendário ocidental), o czar Nicolau II abdicou e um governo provisório foi formado. Kerensky então galgou vários postos até assumir o poder. Ele propunha realizar eleições para formar uma assembleia constituinte. Com a Revolução de Outubro, ele foi deposto pelos bolcheviques liderados por Lênin. Sua conversa com Jones ocorreu no exílio.

Jones também assinou duas reportagens publicadas por jornais americanos. Em uma delas, falou pela primeira vez de casos de canibalismo. Segundo relata Anne Applebaum, em seu livro *Fome Vermelha*, a falta de comida deixou pessoas enlouquecidas e diversos episódios de canibalismo foram registrados. Em geral, pais comiam os corpos de seus filhos ou os matavam para ter algum alimento. Jones não viu essas histórias em primeira mão, mas leu cartas que colonos alemães escreveram para suas famílias relatando os casos.

FINALMENTE, A VERDADE SOBRE A RÚSSIA

The Daily Express

LONDRES, 3 de abril de 1933. Há três semanas, correu o mundo a notícia de que seis engenheiros britânicos foram presos em Moscou. Eles acabaram sendo acusados de sabotar deliberadamente a indústria elétrica soviética e de conspirar contra o governo soviético.

Quando eu soube disso, estava sentado tomando chá com um grupo de diplomatas em uma casa em Kharkiv, a 640 quilômetros ao sul de Moscou. Um silêncio caiu sobre nós quando um criado entrou com a notícia. "É incrível", disse um dos presentes. Outro riu cinicamente: "Há tantos rumores malucos na Rússia hoje que as pessoas estão dispostas a acreditar em qualquer coisa. Mas o OGPU prendeu seis engenheiros britânicos! Não, isso é ir longe demais". E voltamos, aliviados, para as nossas conversas diplomáticas.

Um do grupo, no entanto, não estava satisfeito. "Pergunte ao criado onde ele viu isso." O criado veio e disse que tinha visto isso em um exemplar daquela manhã do *Comunista*, um jornal ucraniano. Corri para uma banca de jornal. "Todas as cópias foram vendidas." Saí pelas ruas sujas ucranianas. "Não sobrou uma única cópia", foi a resposta em todos os lugares. Retornei de mãos vazias, mas sentindo-me satisfeito por não passar de um mero boato. Na manhã seguinte, no entanto, olhei para o *Izvestia*, o órgão oficial do governo soviético, e lá estavam as notícias em preto e branco.

Não havia manchetes gritantes. Era uma declaração clara e simples no canto inferior do jornal dizendo que o OGPU tinha descoberto uma organização destrutiva na indústria elétrica, na qual estavam envolvidos seis funcionários da Metropolitan-Vickers. Eu corro meus olhos pela lista e de repente fixo em um nome: "Alan Monkhouse!". Eu havia conhecido Alan Monkhouse em uma visita anterior a Moscou. Eu o tinha visto trabalhando no escritório da *Metropolitan* de lá.

Eu admirara sua atitude franca e aberta, sua recepção amistosa e a impressão honesta e dedicada que causou. Eu conhecia o profundo respeito que a colônia britânica em Moscou tinha por ele. Parecia incrível que ele estivesse naquele momento no Lubyanka, o quartel-general do OGPU em Moscou.

Só aceitei a notícia como verdadeira três dias depois, quando cheguei a Moscou e apertei a mão de Alan Monkhouse. Ele estava parado no saguão de

FOME NA UCRÂNIA

entrada da Embaixada Britânica, uma figura alta próxima da meia-idade, com uma postura digna.

Tortura com perguntas sucessivas

Ele parecia mais velho do que da vez anterior em que o vi, quando estive em Moscou, em 1931. Ele estava nervoso depois da tortura mental com perguntas sucessivas, mas sorriu corajosamente. Não ousei questioná-lo sobre sua prisão, pois sabia que, se havia uma coisa que ele desejava evitar, era um interrogador.

Então, conversamos sobre assuntos gerais, embora no fundo de nossas mentes permanecesse a sombra das prisões. Minha admiração por Alan Monkhouse é ainda maior depois de ver a maneira calma como ele encara seus problemas. Após sua libertação, ele até se aventurou a voltar para a prisão em Lubyanka para levar roupas para o Sr. Thornton. Poucos homens retornariam sem ser convidados às celas onde passaram por dezenove horas de interrogatório contínuo. O fato de Monkhouse ter feito isso suscitou os aplausos da colônia britânica em Moscou, que também aplaudiu os passos vigorosos dados pelo embaixador para intervir a favor dos prisioneiros. Sir Esmond Ovey os visitou e viu que estavam sendo bem cuidados. Fiquei impressionado com o ressentimento profundo sentido na Embaixada Britânica e com a maneira como eles estão trabalhando dia e noite no caso.

Depois de ver Monkhouse novamente, fiquei indignado que tal acusação pudesse ter sido feita contra ele e os outros engenheiros. Ali estava um homem de primeira classe, da confiança de todos, o representante de uma das maiores firmas da Grã-Bretanha, um homem que falava com simpatia da coragem e da energia dos planejadores soviéticos, sendo acusado de um crime fantástico. Sabotagem e contrarrevolução não são termos britânicos. Nada está mais distante da mentalidade britânica do que tramas subterrâneas para fins subversivos.

A lealdade certamente está na mentalidade britânica, e aquela acusação de que Monkhouse, que eu conheço e em quem confio, teria sido desleal à sua firma e ao governo que a empregava foi para todos os britânicos em Moscou uma infâmia.

"O que poderia explicar isso?", eu me perguntei. Então olhei para o outro lado do rio, para o Kremlin, cujas cúpulas douradas e muralhas vermelhas ficam de frente para a Embaixada. Dentro daquela cidadela, o Kremlin, vive

Stalin. Lá foi formulada toda a política que mudou a vida de cada homem, mulher e criança na Rússia nos últimos cinco anos. Lá, Ivan, o Terrível, muitas centenas de anos atrás, dominou e divulgou uma orgia de terror e tortura. Estariam as pistas nas tradições do Kremlin, que não respeita a vida ou os direitos de qualquer ser humano?

Descontentamento em ebulição

O Kremlin me deu uma pista sobre a prisão. Meia hora depois, passei por outro prédio. Era de tijolos cinzentos e amarelos feios e antigamente era um escritório de seguros. Lá fora, na calçada, algumas sentinelas vermelhas marchavam para cima e para baixo com suas baionetas. O edifício me deu outra pista. Era o Lubyanka, o quartel-general do OGPU. Então, percebi que a causa das prisões estava no Kremlin e no OGPU.

O Kremlin está agora em pânico, pois uma catástrofe se abateu sobre aquele rico país da Rússia. O povo está fervendo de descontentamento. Entre as fileiras dos jovens comunistas, há um estrondo iminente de ira pelo colapso de seus ideais. O trabalhador, tendo recebido a promessa de um paraíso, teve seu belo sonho despedaçado.

O medo, que tantas vezes tomou conta do Kremlin nos séculos passados, voltou a assombrar seus moradores. Essa paixão que imprimiu sua marca em todos os que lá viveram, dos primeiros príncipes moscovitas a Ivan, o Terrível, agora atacou os comunistas proletários que reinam de dentro de seus portais. Certa vez, centenas de anos atrás, os governantes temiam a chegada de hordas de tártaros. Agora, eles têm pavor da raiva de um campesinato faminto. Tomados de pânico, procuram encontrar o estrangeiro em quem colocar a culpa quando suas promessas falham.

Partido dominado por uma panelinha

E o OGPU? Quando olhei para sua sede, percebi que essa prisão era um símbolo do controle que o OGPU tem sobre toda a vida do Partido Comunista.

Quando o medo prevalece, mais e mais poder é colocado nas mãos dos agentes do medo, o OGPU, e essa pequena panelinha agora domina o resto do partido.

FOME NA UCRÂNIA

O Departamento está mostrando seu poder prendendo por iniciativa própria seis engenheiros britânicos.

O medo no Kremlin e a dominação pelos agentes do medo, o OGPU — essas são as duas razões pelas quais nossos engenheiros estão sentados na prisão de Moscou.

CONVERSA COM O MENCHEVIQUE ALEXANDER KERENSKY

The Western Mail

CARDIFF, 3 de abril de 1933. A viagem pela Europa acabou. De Moscou, o trem me levou para a fronteira soviética. Eu vi os soldados da fronteira vermelha com suas baionetas pela última vez, e em pouco tempo estávamos na Letônia.

No trem, trabalhadores americanos que tinham ido para a Rússia esperando um paraíso, mas que agora partiam, reclamando da fome e da escravidão, respiravam profundamente de alívio. O expresso europeu atravessou a Lituânia, a Prússia Oriental, o Corredor Polonês, até chegar à Berlim fascista e perseguidora de judeus. Dezoito horas depois de deixar Berlim, vi Londres novamente.

O que mais me impressionou ao longo da minha viagem pela Europa foi o grito de centenas de camponeses russos que me diziam quando eu perambulava pelas aldeias: "Não há pão. Estamos morrendo de fome".

Desde que a primeira revolução*, de março de 1917, varreu o regime czarista, esses camponeses tiveram três senhores — Kerensky, Lênin e Stalin. Eu tinha visto a Rússia de Stalin. O que diria Kerensky das mudanças ocorridas em seu país desde que ele foi derrubado pelos bolcheviques?

Apesar de estar no exílio, seu trabalho tem sido o de seguir os resultados da política do seu rival, Stalin, e ele tem excelentes fontes de informação.

O senhor Alexander Kerensky tornou-se primeiro-ministro da Rússia em julho de 1917 e manteve o poder até a Revolução Bolchevique. Ele foi um dos inimigos mais perigosos do governo czarista e desempenhou um papel relevante na derrubada da monarquia, em março de 1917.

---

* A Revolução de Fevereiro (no calendário russo), que derrubou o czar e instalou um governo provisório.

As opiniões do homem que precedeu Lênin são de interesse histórico hoje, quando começa a semeadura de primavera mais decisiva nos anais da Rússia.

O teimoso Stalin

Kerensky me disse: "Antes de sua morte, em 1924, Lênin, em seu famoso testamento político, escreveu que certas características do caráter de Stalin eram perigosas para o Partido Comunista. Lênin tinha em mente a teimosia de Stalin (cuja força de vontade é mais forte que sua razão) e sua ausência do sentimento de medo. Quando Stalin está convencido de algo ou deseja obtê-lo, ele segue em frente, independentemente das consequências. Essas duas características combinadas, teimosia e ausência de medo, fizeram de Stalin o coveiro da ditadura bolchevique.

"Na linha da Nova Política Econômica, quando a liberdade de comércio interno foi restaurada, o bolchevismo poderia ter reinado sobre a Rússia por décadas. Mas Stalin acabou com a Nova Política Econômica e, em quatro anos, arruinou completamente a agricultura russa. A ruína da agricultura é o grande feito da ditadura de Stalin.

"Na minha opinião, durante toda a existência da ditadura bolchevique, ninguém desferiu um golpe tão severo no Partido Comunista quanto Stalin. Os eventos agora estão se movendo rapidamente, porque são contra o regime não apenas as pessoas comuns, como também muitos membros do Partido Comunista e da Liga dos Jovens Comunistas."

Campo arruinado

"Você acabou de me dizer que viu com seus próprios olhos a ruína do campo russo, e todas as evidências que eu recebo da Rússia confirmam suas observações", disse a ele.

Sua resposta foi: "Agora, na Rússia, a fome atinge uma área vasta, muito maior que a de 1921. A Ucrânia, o Volga, a Sibéria Ocidental, o norte do Cáucaso, as províncias que outrora abasteciam toda a Europa com grãos, não têm mais pão, carne, manteiga nem batatas suficientes. O rebanho de gado foi reduzido em dois terços. O camponês praticamente não tem implementos agrícolas, e os

FOME NA UCRÂNIA

tratores destinados às fazendas coletivas e às fazendas do Estado estão majoritariamente quebrados e, no atual momento, em que a semeadura da primavera está começando, estão nas oficinas.

"A Rússia é principalmente um país agrícola e a destruição da agricultura terá como conclusão lógica inevitável a destruição da indústria. Foi para construí-la que o camponês russo foi expropriado de sua terra. Pelo bem da indústria, toda a Rússia foi condenada à fome: o Plano Quinquenal é um dos maiores blefes da história, e agora a conta precisa ser paga."

Britânicos presos

"Como você explica a prisão dos engenheiros britânicos, Sr. Kerensky?"

"Eu explico assim: Stalin e seus assistentes conhecem a situação real da Rússia e querem, com um terrível aumento do terror, assustar a crescente oposição dentro do partido.

"Como alguma explicação para o colapso deve ser dada aos próprios trabalhadores e aos jovens comunistas, os bodes expiatórios são engenheiros russos e estrangeiros, a quem eles acusam de terem enviado máquinas ruins para a Rússia, de espionagem econômica e de sabotagem, acusações que são, é claro, ridículas.

"A grande causa da catástrofe é a tentativa louca de Stalin de trazer a servidão de volta à Rússia, não apenas nas aldeias, mas também nas cidades."

A saída

"Você me pergunta qual é a saída para o caos. Só há uma saída. A liberdade deve ser dada para trabalhar, para fazer coisas, para comprar e vender. O camponês deve ter sua terra de volta e seu direito ao trabalho livre. Só assim ele poderá ter uma vida adequada. Nas cidades, a liberdade dos sindicatos deve ser devolvida ao trabalhador, porque agora o russo é mais explorado do que os negros nas colônias. A Rússia deve retornar à base do direito civil que recebeu do governo provisório.

"Sob o czarismo, as condições econômicas eram sem dúvida melhores que as de hoje, mas o czarismo estava condenado à destruição, porque o último monarca odiava a liberdade política. Se o czarismo tivesse seguido o caminho da reforma e tivesse feito uma Constituição, existiria até hoje.

"Agora, o atual regime destruiu aquelas poucas bases do regime democrático que já existiam e introduziu uma tirania na qual não apenas os direitos políticos, mas também os civis, foram destruídos. Por isso, o atual regime está condenado, como a monarquia."

"PÃO! ESTAMOS MORRENDO"

The Daily Express

LONDRES, 4 de abril de 1933. Um grito assombra o russo de hoje e é *"Hleba Nietu"* (Não tem pão).

Enquanto se caminha pela rua Tverskaya, em Moscou, um camponês de barba irregular com um casaco de pele de carneiro se aproxima e diz: "Me dê algo, pelo amor de Deus. Eu sou da Ucrânia, e lá 'hleba nietu' (não há pão). Na minha aldeia, eles estão morrendo. Vim a Moscou em busca de pão, que enviarei pelo correio para minha casa. Estamos condenados na Ucrânia. Na minha aldeia, tínhamos oitenta cavalos. Agora temos apenas dezoito. Tínhamos 150 vacas. Agora são apenas seis. Estamos morrendo. Dê pão para a gente".

Mais adiante, uma menininha, de cerca de oito anos, de olhos castanhos-escuros, o rostinho envolto em um xale, vende flores brancas perfumadas da primavera por um rublo cada maço.

"De onde você vem?", eu pergunto.

"Sou da Crimeia*", ela responde. "Lá a luz do sol é quente. Aqui está frio e eu estou congelando."

"Então por que você veio para o norte, para Moscou?"

"Porque não há pão na Crimeia e as pessoas estão morrendo. Haverá abundância de frutas de todos os tipos, mas isso não acontecerá antes do verão. Então, minha mãe e eu trouxemos flores para Moscou e viemos buscar pão."

Pergunte àquele jovem cheio de varíola, que vende tigelas de madeira com desenhos feitos com fogo na esquina da rua, de onde ele vem e o que está fazendo na grande cidade, e ele dirá:

---

* Crimeia é a península da Ucrânia, invadida pela Rússia em 2014.

FOME NA UCRÂNIA

"Eu venho da região de Níjni-Novgorod, e lá não temos pão. Então, esculpimos à mão essas tigelas de madeira e viemos a Moscou para procurar algo para comer."

Pergunte àquela camponesa, que está em uma rua lateral e vende leite a três rublos (equivalente a seis xelins) o litro, por que ela está em Moscou, e ela responderá: "Eu moro a 48 quilômetros de Moscou e lá não temos pão. Viemos a Moscou e levamos pão de volta. Moscou está nos alimentando. Se não fosse por Moscou, iríamos morrer".

"Quantos gados você tem em sua aldeia?", eu pergunto. "Tínhamos trezentas vacas, agora temos menos de cem e é difícil alimentá-las, porque temos que comer a forragem do gado nós mesmos." Ela pede pão. "Vou trocar leite por pão", diz ela. Dessa forma, uma espécie de escambo primitivo está retornando.

Agora vemos um camponês entrar numa loja cheia de mercadorias. Grandes pães brancos e puros estão empilhados nos balcões. Vastas fatias de manteiga estão lado a lado a pirâmides de queijos de todos os tipos. Laranjas, maçãs, figos, tâmaras estão lá em abundância. Roupas de todas as cores estão penduradas em um departamento. Casacos de pele são examinados por garotas curiosas em outro canto. Peixes do Volga e do mar Cáspio compartilham espaço com produtos do Báltico.

Pode isso realmente ser a Rússia? Por que quase todas as outras lojas estão vazias enquanto essa está cheia?

Devemos seguir o camponês e ver. Ele se vira e vem até nós e diz: "Por favor, sou da aldeia e tenho uns brincos de ouro que guardo há muito tempo. Eles me dizem que posso comprar coisas por ouro aqui".

Seus últimos tesouros

Essa é a solução para o mistério. Nessa loja pode-se comprar com ouro ou prata, ou com moeda estrangeira, e esse é mais um ímã para os camponeses irem às cidades.

Em muitas aldeias, restava um pouco de ouro, assim, um ou mais camponeses vinham a Moscou para esta chamada loja Torgsin* e, em troca de ouro ou

---

* Torgsin: lojas estatais que funcionaram na União Soviética entre 1931 e 1936. A palavra é uma simplificação de "comércio com estrangeiros" em russo. A ditadura abriu esses estabelecimentos com o objetivo de obter moedas estrangeiras, ouro e joias.

112

prata, recebiam pão e outros objetos. Houve, portanto, um fluxo de ouro e prata das aldeias para as cidades, e um fluxo de pão de volta.

Mas não há muitos camponeses afortunados com ouro ou prata, e em breve esse suprimento de alimentos será interrompido. Alguns dos camponeses que vagam pelas cidades em busca de pão têm dólares, recebidos de parentes que emigraram para o exterior. Com isso, eles podem comprar pão e enviá-lo a suas famílias. Alguns deles ainda têm rublos de prata dos dias do czar Nicolau. Outros trazem colheres de prata. Tendo cavado todos os seus tesouros, eles têm apenas um pensamento: "Como posso conseguir pão?".

Família mendigando

Muitos desses novos invasores das cidades trazem seus filhos com eles. Às vezes, uma família inteira se levanta e mendiga ou o filho mais novo é encarregado de ir a um transeunte e dizer: "Tio, me dê alguns copeques para pegar um pouco de pão".

Esses mendigos camponeses pedem comida nas casas, mas muitas vezes nas casas não há o suficiente para o seu morador. A polícia tem um grande problema com eles, e não invejo sua missão.

Certa noite, vi uma multidão na rua e ouvi lamentos comoventes. Subi e vi um camponês ucraniano de barba escura, vestido com a habitual pele de carneiro, lutando com um policial. Três crianças, perturbadas e gritando, estavam agarradas a ele.

"Você não tem o direito de mendigar aqui", disse o policial.

"Queremos pão! Queremos pão!"

O policial venceu a batalha. Chamou um *droshky** que passava, empurrou o camponês para dentro com as crianças agarradas desesperadamente e, de pé na tábua do *droshky*, mandou o motorista ir para a delegacia. Os gritos incessantes das crianças podiam ser ouvidos enquanto o *droshky* trotava.

Esses buscadores de pão das aldeias dormem em qualquer lugar. Nos pátios das casas eles encontram recantos, mas em março esses espaços estão congelando. Alguns têm amigos nas cidades e engrossam o já grande número de ocupantes das casas. Muitos deles se aglomeram nas estações ferroviárias,

---

* Droshky: carruagem usada na Rússia.

lotadas de camponeses — uma cena típica da tentativa dos aldeões de entrar nas cidades.

Encalhados

Em uma estação de trem, conversei com um grupo de mulheres que disse: "Estamos morrendo de fome. Quase não comemos pão há dois meses. Somos da Ucrânia e estamos tentando ir para o Norte, pois as pessoas estão morrendo rapidamente nas aldeias. Chegamos muito longe, mas agora eles não vão nos dar passagens de trem. Então, estamos presos aqui sem comida e não sabemos o que fazer".

DESCONTENTAMENTO EM EBULIÇÃO ENTRE RUSSOS

The Western Mail

CARDIFF, 4 de abril de 1933. Quatro engenheiros britânicos agora estão sentados em celas naquele antigo escritório de seguros cinza e amarelo que se tornou a sede do OGPU, e outros dois, o Sr. Monkhouse e Sr. Nordwall, comprometeram-se a não deixar Moscou.

Alguns dias atrás, eu passei por aquele edifício sinistro. Na calçada do lado de fora, marchavam soldados do Exército Vermelho com suas baionetas; lá dentro, os engenheiros britânicos, acusados de danificar intencionalmente máquinas e a indústria elétrica soviética, estavam sendo submetidos a esta estressante forma de tortura — a agonia mental dos interrogatórios sem fim.

Eu mesmo escapara por pouco de ser preso não muito tempo antes, em uma pequena estação ferroviária na Ucrânia, onde tinha conversado com alguns camponeses. Eles reclamavam da fome para mim e se reuniram ao meu redor em uma multidão, todos murmurando: "Não há pão", quando apareceu um miliciano. "Parem com esses lamentos", ele gritou para os camponeses; enquanto para mim ele disse: "Venha; onde estão seus documentos?".

Perguntas estafantes

Um civil (um homem do OGPU) apareceu do nada, e ambos me submeteram a uma série de perguntas exaustivas. Eles discutiram entre si o que deveriam fazer comigo e, finalmente, o homem do OGPU decidiu me acompanhar no trem até a grande cidade de Kharkiv, onde enfim me deixou em paz. Não haveria prisão.

O destino dos outros súditos britânicos na Rússia foi menos afortunado, e agora eles aguardam seu julgamento. Esse evento é mais do que um ato isolado de violência da polícia política. É um símbolo do pânico que se abateu sobre os governantes soviéticos.

A fome, muito maior do que nos dias de fome de 1921, está condenando o povo russo ao desespero e fazendo-o odiar o Partido Comunista mais do que nunca. Até os jovens comunistas, outrora apaixonadamente entusiasmados, agora estão ressentidos com a desilusão que veio. Os trabalhadores querem comida e temem perder o trabalho.

Caçada às vítimas

O camponês, tendo perdido sua vaca, sua terra e seu pão e estando condenado à fome sem que um dedo seja levantado para ajudá-lo, está amaldiçoando o dia em que Lênin assumiu o comando. Um paliativo deve ser dado para aplacar a ira da multidão faminta. O estrangeiro perverso deve ser encontrado para receber a culpa. Assim, nossos colegas britânicos foram capturados. A prisão dos especialistas da Metro-Vickers é uma continuação daquela caça às vítimas que caracteriza a primavera de 1933 na Rússia.

No mês passado, o vice-comissário da Agricultura de toda a União Soviética foi fuzilado e com ele especialistas e 34 trabalhadores da área agrícola. Muitos deles estavam no Ministério da Agricultura, em Moscou, e no Ministério das Fazendas Estatais. Durante uma visita anterior, conheci um deles, o Sr. Wolff, um excelente especialista em agricultura e um homem respeitado por todos que o conheciam.

Imaginem que neste país houve o fuzilamento do secretário parlamentar do Ministério da Agricultura porque a política agrícola do governo falhou! Eles foram acusados de danos contrarrevolucionários nas estações de tratores e nas fazendas estatais na Ucrânia, no norte do Cáucaso e na Rússia branca.

Forçado a confessar

Esses agricultores confessaram-se culpados — ou melhor, foram obrigados pela tortura a confessar-se culpados — dos seguintes atos: destruição de tratores, queima de estações de tratores e de fábricas, roubo de estoques de grãos, desorganização da semeadura e destruição do gado. Certamente, uma tarefa formidável para 35 homens realizarem em um país que se estende por mais de 9 mil quilômetros.

Assim como esses homens foram presos por causa da trágica ruína da agricultura, os engenheiros britânicos foram detidos porque os planos elétricos falharam. Os bolcheviques se gabavam de seu magnífico Dnieperstroy*, que deveria inundar a Ucrânia com luz e fazer as máquinas em uma vasta área pulsar com energia. O que aconteceu?

Um "baita triunfo"!

Apesar do anúncio dessa conquista em todo o mundo como um baita triunfo para a construção socialista, os bondes dentro da própria área do Dnieperstroy pararam porque não havia eletricidade. As grandes cidades de Kharkiv e Kiev, as principais da Ucrânia, eram muitas vezes mergulhadas na escuridão por horas a fio, e homens, mulheres e crianças tinham que se amontoar em quartos escuros, porque era difícil comprar velas e óleo de lamparina. Nos teatros de Kharkiv, as luzes se apagavam de repente e centenas de pessoas se sentavam ali, temendo a aglomeração e a luta no escuro pela saída.

Ao mesmo tempo em que as pessoas a não muitos quilômetros de distância do Dnieperstroy estavam sentadas na escuridão, *slogans* retumbantes do triunfo da indústria elétrica soviética foram martelados na imaginação do proletariado mundial com estatísticas impressionantes e com fotografias habilmente tiradas de obras elétricas e de trabalhadores sorridentes.

---

* Dnieperstroy: usina hidrelétrica localizada na Ucrânia, construída entre 1927 e 1932.

O REINADO DE TERROR DO OGPU

The Western Mail

CARDIFF, 5 de abril de 1933. O julgamento dos engenheiros britânicos é mais do que o símbolo do colapso do Plano Quinquenal. É uma indicação do controle que o OGPU (o "Departamento Político do Estado", ou seja, a polícia política) tem sobre toda a vida do Partido Comunista.

Quando eu estava na Rússia em 1931, começou um período de tolerância. O OGPU teve algumas de suas presas extraídas e estava sob o controle de Akuloff, um homem moderado e economista. O perigoso Yagoda tinha sido removido. Stalin havia pregado a doutrina do jogo limpo aos não comunistas e todo o país deu um suspiro de alívio pelo fato de que o terror havia acabado.

Mas agora, em 1933, o terror voltou e se multiplicou por cem. Yagoda está de volta ao seu trabalho, atacando pela esquerda e pela direita todos os suspeitos de oposição ao regime. A ação agora é contra todos os tipos de oposição. Antigamente, o movimento foi contra a oposição de direita, depois contra os trotskistas, depois contra os ex-burgueses.

Ataque em todas as frentes

Agora, o ataque se dá em todas as frentes, contra membros do partido, dos quais muitos foram baleados; contra a intelectualidade, da qual há inúmeros representantes em Solovki; contra os camponeses, apenas por terem desejado cultivar sua terra para si mesmos, e contra os nacionalistas ucranianos, georgianos e da Ásia Central, que lutaram pelos direitos dos pequenos países. Mais e mais poder está sendo colocado nas mãos do OGPU e uma panelinha domina o resto do partido, cujos membros, embora em seus corações reconheçam o fracasso colossal da política do Plano Quinquenal, não ousam dar um pio em contradição com a linha geral de Stalin.

Os erros do OGPU

O OGPU tornou-se proprietário de grandes terrenos nas maiores cidades. Os melhores edifícios construídos em Moscou são as residências do OGPU e, no sul, a

FOME NA UCRÂNIA

organização se entrincheirou e tem casas excelentes. Suas lojas são as mais bem abastecidas de toda a Rússia. As esposas de seus funcionários têm os melhores vestidos e os melhores casacos de pele. Muitos dos excelentes carros estrangeiros que agora são comuns em Moscou pertencem a homens da polícia política. Eles têm os maiores privilégios da União Soviética.

Mas agora a organização cometeu o maior erro de sua carreira e vai se arrepender do dia em que prendeu os engenheiros. A maioria dos especialistas em Moscou acredita que o OGPU agiu por conta própria e que o Ministério das Relações Exteriores soviético está furioso com esse passo em falso, que estraga muitos dos planos de sua política externa.

América para e pensa

Como o Ministério das Relações Exteriores soviético deve praguejar contra a atrapalhada que tanto afetou suas relações com a Grã-Bretanha! Mas eles devem xingar ainda mais os estragos dos planos de um reconhecimento americano. Um grande triunfo para a diplomacia soviética estava por vir. Os Estados Unidos, que se recusaram a reconhecer a União Soviética e que nunca tiveram um embaixador nem um cônsul em Moscou, estavam pensando seriamente em dar o passo que a Grã-Bretanha deu em 1924*.

Dizia-se que o presidente Roosevelt era favorável. Os homens de negócios estavam torcendo pelo reconhecimento com todas as artes da publicidade americana. Então, de repente, como um raio do nada, seis engenheiros britânicos são presos. A América para e pensa, e o governo soviético agora não está mais tão otimista quanto ao reconhecimento pelos Estados Unidos.

As dificuldades dos sovietes

Uma razão pela qual os Estados Unidos desejavam reconhecer a União Soviética era ampliar seu comércio na Rússia. A prisão dos engenheiros britânicos, no entanto, lança uma luz vívida sobre as dificuldades que o governo soviético está

---

* Reino Unido e União Soviética retomaram as relações diplomáticas em 1924. Depois, houve uma quebra em 1927 e um novo reatamento em 1929.

enfrentando para cumprir os pagamentos no exterior. Até agora, ele tem cumprido as suas obrigações com uma pontualidade que merece o nosso respeito.

Seria o caso da Metro-Vickers uma tentativa de evitar o pagamento? Essa é a pergunta que muitos observadores estão fazendo, pois as dificuldades estão se acumulando sobre os comissariados soviéticos, que estão cortando drasticamente as encomendas do exterior.

O caso dos seis engenheiros britânicos deve ser visto com a fome e o terror da Rússia de 1933 como pano de fundo. Por causa da política equivocada que provocou essa fome, os engenheiros britânicos têm que pagar o preço nas celas do quartel-general do OGPU.

SOVIÉTICOS CONFISCAM PARTE DO SALÁRIO DOS TRABALHADORES

The Daily Express

LONDRES, 5 de abril de 1933. "Não vá para as aldeias", me disseram em certa embaixada. "Os camponeses estão morrendo de fome e vão roubar tudo o que puderem."

Ignorando esse aviso, enchi minha mochila com muitos pães brancos, manteiga, queijo, carne e chocolate, que havia comprado com moeda estrangeira nas lojas Torgsin. Cheguei à estação de Moscou de onde saem os trens para o Sul, abri caminho entre os camponeses sujos que dormiam no chão e, em poucos minutos, encontrei-me no vagão de "classe dura" do trem mais lento que sai de Moscou para Kharkiv.

Para ver a Rússia, é preciso viajar de "classe dura" e pegar um trem lento. Aqueles turistas que viajam de "classe suave" por trens expressos obtêm apenas uma impressão e não veem a Rússia real.

O vagão se encheu lentamente. Camponeses com sacos cheios de pão entraram. Um homem enérgico, que parecia bem nutrido e usava um gorro de couro e uma jaqueta de couro, veio e sentou-se à minha frente. Então o trem deu um solavanco e partimos em nossa jornada de um dia para a Ucrânia. Os tipos naquele trem lançam luz sobre a Rússia de 1933.

A "implacável" Scotland Yard

Há, primeiro, o membro do Partido Comunista que se senta à minha frente e que afirma que, na Inglaterra, todo comunista está morrendo de fome como prisioneiro na Torre de Londres. Ele acha que a Scotland Yard tem um controle tão firme sobre a vida inglesa quanto o OGPU tem na Rússia.

"A Scotland Yard é muito poderosa", disse ele, "e está esmagando impiedosamente a classe trabalhadora inglesa. Mas a Scotland Yard não será capaz de deter a sublevação das forças revolucionárias por muito tempo. A revolução chegará lá, e então vocês deverão ter uma Tcheka* tão implacável quanto a nossa."

Falamos sobre liberdade na Inglaterra. "Liberdade, sei!", ele exclama. "Você só tem liberdade para jogar conversa fora. Mas suponha que você organizou uma força militar para lutar contra o rei, você teria permissão para fazê-lo? Certamente que não. Isso é uma prova de que você não tem liberdade!"

Dois russos ouvem atentamente nossa conversa, mas não dizem uma única palavra. Não é seguro para um russo discutir na frente de um membro do Partido Comunista.

Pequenas tragédias

Não muito longe, está sentado um camponês que olha para o chão com os olhos vidrados. Carrega um pequeno saco ao qual se agarra. Ele murmura para mim: "Fui à cidade para comprar pão e comprei pão, mas eles tiraram meu pão de mim". Ele repete várias vezes: "Eles tiraram meu pão de mim, e não terei pão para minha família na aldeia onde eles esperam pão. Só tenho algumas batatas".

Essa é uma das muitas pequenas tragédias tão frequentes na Rússia. Em uma aldeia na Ucrânia, eles estão esperando o camponês voltar da cidade — mas ele virá sem pão.

Outro tipo no trem é o jovem comunista desiludido. Ficamos sozinhos no corredor e olhamos para a vasta extensão de neve que cobre o campo russo. "Muitos de nós, jovens comunistas", diz ele, "estamos ficando insatisfeitos porque não temos pão. Faz uma semana que não como nada, embora trabalhe em uma

---

* Tcheka: polícia secreta soviética que depois deu origem à GPU, OGPU, NKVD, KGB e FSB.

cidade que apenas produza batatas. Só recebo sessenta rublos por mês, mas quando eles tirarem um tanto, só receberei cerca de quarenta a cinquenta. Como posso viver?"

"O que você quer dizer quando diz que eles tiram parte do seu salário?", pergunto a ele.

Ele fica nervoso. "Você não sabe que somos obrigados a abrir mão de parte de nossos salários para empréstimos? O que eu ganho com empréstimos de 4% para o Plano Quinquenal? Mas eles pegam isso na fonte. E isso também não é a única coisa. Eles registram muitas coisas."

O jovem comunista parece preocupado e continua. "Quando deixei minha mãe e duas irmãs há alguns dias, elas só tinham dois copos de farinha sobrando. Meu irmão morreu de fome. Não admira que nós, jovens comunistas, nos sintamos mal com as coisas."

Privado de todos os direitos

Enquanto estou no corredor e olho para as cabanas de madeira cobertas de neve entre as bétulas, um homem moreno, judeu ou armênio, começa a conversar comigo. Ele tem uma fileira de dentes de ouro. "Indo para a Ucrânia?", ele pergunta. Digo que sim com a cabeça. "Eu também. Fui expulso de Leningrado. E agora vão me expulsar de Kharkiv, espero. É a vida de um cão."

"Por que você foi expulso?", eu pergunto. "Bem, eles não me deram o passaporte em Leningrado. Disseram que eu era uma escória e quanto mais cedo saísse da cidade, melhor. Você vê, eu sou um comerciante privado. Vendo coisas nas ruas e por isso me privaram de todos os meus direitos."

"E você deveria ter visto os impostos que eles me fizeram pagar. O que vai acontecer comigo no futuro eu não sei. É melhor não pensar nisso." Nesse momento, aparece um soldado do Exército Vermelho, com vários bilhetes de loteria, aproxima-se de cada homem e mostra-lhe uma declaração em má caligrafia que diz o seguinte: "Nós, trabalhadores do primeiro vagão deste trem, desafiamos os do quinto vagão para uma competição socialista da venda de bilhetes de loteria para a Sociedade de Defesa". Alguém escreveu embaixo: "Nós, do quinto vagão, aceitamos seu desafio socialista 100%".

"Nós vamos esmagá-los"

Cada homem no vagão pagou um rublo por um bilhete de loteria que lhe dá direito, se ele ganhar, a um automóvel, um trator, uma viagem ou um traje contra gás venenoso. "Por que você está comprando esse bilhete por um rublo quando você ganha apenas sessenta rublos por mês?", perguntei ao jovem comunista mais tarde. "Bem, acho que tenho que ir", ele responde.

Um homem autoritário de casaco cáqui fala comigo. À primeira vista, pode-se dizer que ele é membro do partido, pois a maioria dos comunistas na Rússia tem uma marca de vigor e perversidade que os caracterizam como a classe dominante. Ele me diz que é membro do Politodel (o Departamento Político), e eu aguço os ouvidos, pois o Departamento Político é aquele destacamento de milhares de comunistas que foram enviados às aldeias para forçar os camponeses a trabalhar. Ele parece implacável e cruel. "Somos semimilitares", diz. "Vamos esmagar os kulaks (os camponeses que antes estavam em melhor situação) e esmagaremos toda a oposição." Ele fecha o punho. "Praticamente somos todos homens que serviram na Guerra Civil. Eu estava na cavalaria do melhor regimento vermelho."

"Nós, que agora estamos indo para as aldeias, somos os escolhidos, os mais fortes, e somos todos trabalhadores, principalmente das fábricas. Vamos mostrar aos camponeses o que significa controle rígido."

Esse homem é um típico exemplo do espírito com que as aldeias devem ser enfrentadas. Ele não hesitará em atirar. Está cheio da doutrina da luta de classes nas aldeias e está determinado a levar adiante o que considera ser uma guerra santa contra todos aqueles que se opõem às fazendas coletivas comunistas.

"Desesperado"

O trem para em cada pequena estação e, durante uma dessas paradas, um homem vem até mim e sussurra em alemão: "Diga a eles na Inglaterra que estamos morrendo de fome e que estamos ficando inchados".

Um pouco depois, decido sair do trem e tomar o caminho das aldeias. Eu coloco minha mochila nas costas. O jovem comunista me diz: "Cuidado. Os ucranianos estão desesperados". Mas desço do trem, que segue para Kharkiv, deixando-me sozinho na neve.

QUINZE HORAS ESPERANDO AS LOJAS ABRIREM

The Daily Express

LONDRES, 7 de abril de 1933. Em 1930, vi Kharkiv, a capital da Ucrânia, do céu. Uma torre de andaimes se projetava no centro da cidade, onde se erguia uma série de arranha-céus. Eu podia ver milhares de homens como formigas correndo apressadas aqui e ali. Os soviéticos estavam construindo.

Em 1931, vi Kharkiv de novo. As novas casas e ruas me impressionaram. Havia um espírito de construção aventureira entre muitos dos jovens trabalhadores. Eles estavam levantando as vastas obras em velocidade gigantesca com tratores. "Vamos vencer a América", gritavam.

Em 1933, voltei a ver Kharkiv. Não é mais a cidade de 1930, quando o arranha-céu era o símbolo de um futuro feliz. O espírito de aventura de 1931 desapareceu. O grito de "Vamos vencer a América" é abafado.

Eu tomei o meu caminho pelas ruas. O início do degelo russo veio de repente, e riachos com a água da neve do dia anterior se formavam ao longo das sarjetas, criando poças no meio da estrada. As casas agora pareciam deterioradas, como se ninguém se importasse com elas. Muitas das novas construções estavam ociosas.

"Elas foram abandonadas por causa de dificuldades financeiras", um especialista me disse. Um monte de pedra usada em construção estava na beira de uma estrada. Quando senti a pedra entre meus dedos, ela se desintegrou levemente. Entrei em uma das casas e examinei as obras de construção. Os tijolos, que eram bons, tinham grandes vãos e apenas um mínimo de argamassa entre si. No lado oposto da estrada, uma igreja havia sido explodida e os homens estavam ocupados removendo a alvenaria com pás e levando-a embora em carrinhos. Eu soube, mais tarde, que por muito tempo os trabalhadores se recusaram a trabalhar no local da igreja destruída. "É assombrada", disseram. Crianças camponesas sentadas na soleira da porta gritaram comigo quando eu passei: "Tio, me dá alguns copeques (ou pão)".

Os odiados soldados do OGPU

Vários soldados do OGPU com suas lapelas verdes circulavam. Eles formam a terra do OGPU, controlam o campo e são odiados como a peste pelos camponeses. Em pouco tempo, ouvi as pessoas gritando e brigando; virando a esquina, vi o que estava acontecendo. Do lado de fora de uma padaria cujas vitrines haviam sido quebradas e agora estavam cobertas de tábuas, cem pessoas esfarrapadas gritavam: "Queremos pão".

Dois policiais soviéticos mantinham as pessoas afastadas das portas e respondiam: "Não tem pão e não terá pão hoje". Houve uma explosão de raiva. A fila perdeu a forma e a massa de mulheres, camponeses e trabalhadores cercou os policiais. "Mas, cidadãos, não há pão. Não me culpem", gritou em desespero. Fui até um homem na fila. "Há quanto tempo você está parado aqui?", perguntei. "Este é o segundo dia", respondeu ele. A multidão não se dispersou. Sempre restava uma esperança vã de que uma carga de pão de repente surgiria do nada.

Algumas das filas de pão em Kharkiv têm de 4 a 7 mil pessoas. Elas começam a se formar por volta das três ou quatro horas da tarde e duram a noite toda, na penetrante geada russa, até a abertura da loja às sete horas da manhã.

Tentando rir de suas tristezas

Não é à toa, pensei, enquanto caminhava para o mercado. Essa amargura se expressa naquelas piadas mordazes com as quais os russos tentam rir de suas mágoas. Em Kharkiv, ouvi o seguinte: "Um piolho e um porco encontram-se na fronteira da União Soviética. O piolho vai para a Rússia, enquanto o porco está indo embora".

"Por que você está vindo para a Rússia?", o porco pergunta.

"Estou indo porque, na Alemanha, as pessoas são tão limpas que não consigo encontrar um único lugar para colocar minha cabeça, então estou entrando na União Soviética. Mas por que você está deixando a Rússia?"

O porco responde: "Na Rússia hoje as pessoas estão comendo o que nós, porcos, comíamos. Então não há mais nada para mim e estou dizendo adeus".

O mercado me fornece uma prova da veracidade dessa alegoria.

Pessoas esfarrapadas e doentes vagam pelas tendas. Um menino está vendendo duas fatias de pão preto pastoso, que ele segura em sua faixa. "Um rublo para cada", diz ele. Isso significa cerca de 2 xelins por uma fatia de pão.

Não esqueço, no entanto, que milhões de pessoas podem obter seu pequeno suprimento de pão a um preço muito baixo nas lojas cooperativas, desde que tenham cartões de pão. Os mendigos camponeses, sempre presentes na Rússia, estão aqui aos montes. Os comerciantes privados, considerados pelo governo como a escória da terra, vendem bijuterias e peças avulsas de roupas. Um deles, de nariz adunco, pele morena e cabelos pretos, negocia lentamente longas tranças de cabelo.

"Sou turco", diz ele, "um refugiado depois da guerra, mas agora estou condenado. Eu sou um comerciante privado. Não recebo cartão de pão. Não tenho direitos. Eu fui excluído da existência. Apenas me agarro à minha vida e isso é tudo."

Enquanto ando pelo mercado, noto um grupo de pessoas ao ar livre, que vendem toalhas e roupas feitas em casa, algumas das quais decoradas com desenhos artísticos. Um camponês bêbado cambaleia e vacila, rindo alto — um exemplo dos perigos da vodca com o estômago vazio.

Perto dali, uma pequena cigana, de cerca de 8 anos, canta uma canção de seu povo com toda a emoção dramática de um contralto lírico. Depois de cada música ela se curva. "Tio, me dá um rublo." Vejo outra longa fila, com discussões incessantes. Pelo menos mil pessoas estão de pé para o pão, que está sendo vendido a um preço alto. Uma mulher muito tensa, ao ver que sou estrangeiro, rosna: "Veja como é bom aqui".

Mas a característica do mercado que mais me impressiona é o número de meninos esfarrapados e sem-teto nos chamados *"bezprizorny"*. Com os mais imundos dos trapos e os mais depravados dos rostos, eles pairam ao redor. Em 1930, vi poucos desses meninos sem-teto. O governo soviético havia feito uma luta valente para remover os enxames de brigões, que eram o legado da Guerra Civil. Em 1931, vi ainda menos, embora às vezes gritassem nas estações para os passageiros: "Dê cigarros para a gente".

Em 1933, vi o ressurgimento dos meninos sem-teto. Eles vagam pelas ruas das cidades. Já vi alguns sendo capturados pela polícia e levados embora. Quando deixei Kharkiv, foram os meninos sem-teto que permaneceram como a última e mais profunda impressão.

Na sala de espera da estação, trezentos deles foram reunidos para serem levados. Espiei pela janela. Um deles, perto da janela, estava caído no chão, com o rosto vermelho de febre e respirando pesadamente, com a boca aberta. "Tifo*", disse um homem que estava olhando para eles. Outro jazia em trapos

---

* Tifo: doença infectocontagiosa causada por uma bactéria transmitida pelo piolho.

FOME NA UCRÂNIA

estendidos no chão, com parte do corpo descoberta, revelando sua carne seca e braços finos.

Diferenças de classe maiores do que nunca

Eu me virei e entrei no trem para Moscou. No corredor estava uma garotinha. Ela estava bem-vestida. Suas bochechas estavam rosadas. Segurava um brinquedo em uma mão e um pedaço de bolo na outra. Provavelmente era filha de um membro do Partido Comunista ou de um engenheiro.

Em 1930, havia diferenças de classe. Em 1931, elas eram maiores do que antes. Em 1933, elas são uma das características mais marcantes da União Soviética. Essas crianças não são as relíquias da Guerra Civil. Eles são os filhos sem-teto da fome, a maioria deles expulsos de suas casas para se sustentar porque os camponeses não têm pão.

O trem seguiu para Moscou.

MEUS PENSAMENTOS NA VIAGEM PARA MOSCOU

The Western Mail

CARDIFF, 7 de abril de 1933. A viagem para a Rússia tem sido descrita como o cruzamento de uma fronteira entre um sistema econômico, o capitalismo, e outro, o comunismo. Mas essa descrição é muito simples, pois cada país tem um tipo diferente de capitalismo.

O capitalismo alemão, que é quase um socialismo de estado ou, como um banqueiro alemão me descreveu, "um estado socialista dirigido por capitalistas", é totalmente diferente do capitalismo americano, no qual o estado se manteve até recentemente distante dos negócios e o governo que menos intervém é considerado o governo que melhor administra. O capitalismo francês, em que o governo tem grande controle sobre as finanças e usa isso como uma ferramenta na política, é totalmente diferente do capitalismo britânico, no qual o setor financeiro é mais independente da política e a renda nacional é distribuída menos uniformemente do que na França.

A Rússia também não é a terra do comunismo. Qualquer comunista refutaria isso e diria que a União Soviética está apenas construindo o comunismo e que a sociedade comunista sem classes ainda não será criada por muitos anos.

Do Ocidente para o Oriente

Uma viagem para a Rússia não é, portanto, uma jornada de um capitalismo bem-definido para o comunismo nítido. É mais uma viagem da Europa para a Ásia e então para a Rússia e, portanto, de uma civilização ocidental para uma civilização oriental. É uma viagem que retrocede séculos no tempo. A Rússia nunca teve a Reforma, que afetou tão profundamente a vida de Gales. A Rússia agora está no meio de sua Revolução Industrial, pela qual a Grã-Bretanha passou há mais de um século. Os efeitos da Revolução Francesa foram leves. A Rússia só aboliu a servidão em 1881. A luta pela liberdade que moldou o caráter livre de britânicos e franceses foi esmagada. Assim, a Rússia continua sendo a Ásia, embora territorialmente na Europa. É asiática na pobreza do passado e do presente e no fatalismo de seus camponeses.

Tais eram meus pensamentos à medida que a fronteira russa se aproximava. Meus companheiros tinham ideias diferentes. Eles eram todos comunistas que tinham fugido do Canadá ou dos Estados Unidos e esperavam encontrar condições perfeitas no Estado comunista da Rússia. Sentiam-se amargurados com o capitalismo. Um deles era um húngaro que viveu no Canadá e foi preso pela polícia e condenado sem julgamento. Finalmente, foi deportado. Para onde ele deveria ir? Se ele voltasse para a Hungria, seria enforcado como comunista. Então, ele veio para a Rússia, onde, segundo ele, a classe trabalhadora construiu para si mesma uma pátria magnífica.

Deportados estrangeiros

Seu caso era típico do de outros deportados estrangeiros do Canadá e dos Estados Unidos — vítimas da Depressão. Esses trabalhadores vindos da Hungria ou da Polônia juntam alguns dólares, viajam sem gastar muito até os escritórios de imigração e depois de semanas ou meses de detenção são deportados. Eles vão para a Rússia Soviética. Havia muitos desses homens ressentidos com o capitalismo no

FOME NA UCRÂNIA

trem. Quando cruzamos a fronteira soviética, eles aplaudiram. "Agora, rapazes, estamos seguros na terra sem desemprego", eles disseram.

Nós olhamos para fora do trem. Eles estavam encantados com tudo que viam. A menor construção era exagerada na imaginação deles como um triunfo socialista. Chegamos a Moscou. As crianças pareciam bem-alimentadas e a maioria das pessoas tinha roupas quentes e calçados suficientes. As ruas melhoraram muito e vários novos prédios estavam em construção. Minha primeira impressão foi boa.

Um contraste

Não pode haver contraste maior do que o dos sentimentos daqueles que deixaram a Rússia ao mesmo tempo que eu depois de passadas várias semanas. Eram trabalhadores americanos que tinham vindo há dois anos e meio esperando encontrar boas condições. Eles agora xingavam o governo soviético com todas as injúrias que podiam encontrar. Os passaportes americanos foram retirados deles para dificultar a saída da Rússia.

Foi somente graças aos esforços de um jornalista americano que eles receberam seus passaportes. Seus dois filhos viviam em uma fazenda coletiva e não tinham nada além de batatas e forragem de gado para comer por seis meses.

Eles disseram: "Ninguém quer trabalhar. Ninguém se importa se as máquinas estão quebradas ou abandonadas. Na fábrica onde eu estava, quase 100% dos trabalhadores são contra o governo. Os funcionários estão fracos demais para trabalhar de verdade. Agora, eles têm medo de perder seus empregos porque, em algumas fábricas, até 50% dos trabalhadores foram demitidos".

Quando ouvi os outros trabalhadores do trem, alemães e italianos, falarem de suas experiências nas fábricas soviéticas e vi a alegria deles quando a fronteira soviética foi ultrapassada, pensei na esperança dos deportados ao entrarem na União Soviética e me perguntei como eles estavam se saindo naquele país asiático que havia tentado em vão recuperar muitos séculos de industrialismo no breve espaço de cinco anos.

128

A VIDA LASTIMÁVEL DOS ESCRAVOS DAS FÁBRICAS SOVIÉTICAS

The Daily Express

LONDRES, 8 de abril de 1933. Uma noite, depois de participar de uma recepção do Ministério das Relações Exteriores da União Soviética, em um palácio de Moscou, fui explorar as casas dos trabalhadores na cidade.

Até então, eu tinha me impressionado com as roupas aquecidas da maioria das pessoas que frequentavam o centro da cidade e com a saúde das crianças de Moscou. Eu tinha aprendido que as crianças recebiam boas refeições na escola. Havia conversado com trabalhadores qualificados que eram bem pagos e recebiam muita comida nas fábricas, e sabia que algumas lojas eram razoavelmente bem abastecidas, embora a entrada fosse limitada a pessoas privilegiadas. O número de belos carros motorizados correndo pelas ruas me pareceu um grande avanço em relação a 1930 e 1931.

O que as ruas secundárias revelaram

No teatro lotado, eu tinha visto uma multidão que me parecia extremamente de classe média em suas roupas respeitáveis e sua aparência saudável. O passo vigoroso de muitos moscovitas me impressionou. Pessoas famintas não andam assim, refleti. As ruas principais de Moscou estavam em boas condições e tinham melhorado em relação aos anos anteriores. Se não fosse pela mendicância dos camponeses, eu teria chegado à conclusão de que tudo estava bem com Moscou.

Minhas visitas às casas dos trabalhadores soviéticos confirmariam essa impressão?

Saí do centro da cidade e me vi sozinho em uma rua escura. Entrei em um pátio cheio de lixo. À esquerda, havia uma casa de madeira com a porta aberta, por onde passei. Isso me levou a um corredor semi-iluminado com portas de cada lado que davam para os quartos. Uma mulher trabalhadora saiu. "O que você quer?", perguntou. "Quero ver como vivem os trabalhadores", foi a minha resposta. O marido dela me convidou para entrar. "Nós vamos mostrar a você como eles fazem os trabalhadores viverem", disse ele amargamente. Havia um

FOME NA UCRÂNIA

quartinho com uma cama que ocupava quase todo o espaço. "Somos três morando aqui", disse a mulher.

"Venha visitar a próxima família." O quarto seguinte era ainda menor. Um ícone estava pendurado no canto. Na cama, estava deitada uma velha, pálida e doente. "Três moram aqui", disse ela, "mas, quando meus filhos voltaram de licença do Exército Vermelho, éramos cinco". Eu me perguntava como cinco poderiam dormir no pequeno espaço do quarto. Em alguns dos quartos da casa havia seis, sete e até oito pessoas.

Enquanto eu falava com a velha, uma menina, de cerca de 12 anos, com uma grande gravata vermelha, entrou. Seu rosto ao redor dos olhos estava inchado de tanto chorar. Sua mãe a seguiu, e seu rosto pálido também estava inchado de lágrimas. "Qual é o problema?", perguntei. A mãe respondeu: "Nosso passaporte foi recusado e temos que deixar Moscou até 30 de março. Não conhecemos ninguém no mundo, exceto em Moscou, mas temos que ir a 100 quilômetros além da cidade. Para onde podemos ir? Como teremos comida lá?".

Penalidade para ausência de um dia

"Mas certamente eles deixarão com vocês o cartão de pão, não?", perguntei. "Nem mesmo um cartão de pão, e não temos dinheiro." A velha disse também que lhe foi negado o visto e que teria de deixar Moscou, mas ela estava quieta e parecia resignada, embora soubesse bem qual seria seu destino.

Essas pessoas foram vítimas da "passaporterização".

Não é à toa que, no dia seguinte, fiquei com raiva quando um comunista, que parecia conhecer todas as estatísticas que se podiam conhecer, me disse: "Esperamos que, por meio de nosso sistema de passaporte, possamos retirar a mão de obra excedente das cidades. Cerca de 700 mil deixarão Moscou. Mas posso garantir que apenas bandidos, especuladores, kulaks, comerciantes privados e ex-oficiais terão que ir".

Na mesma noite, eu conversei com uma trabalhadora de uma fábrica, na casa de um operário. Ela me disse: "Agora eles são cruelmente rigorosos nas fábricas. Se você se ausentar um dia, é demitido, tem o cartão de racionamento de pão confiscado e não consegue um passaporte. A vida é um pesadelo. Eu ando até minha fábrica todos os dias, pois viajar no bonde lotado acaba com os meus nervos".

"Está mais terrível do que nunca. Agora, se você der um pio nas fábricas, será demitido." Esse rigor nas fábricas é o resultado dos decretos do governo sobre a disciplina do trabalho. Seu principal objetivo é amarrar o bom trabalhador à fábrica e livrar-se do preguiçoso. Prejudicado pela contínua deserção das fábricas por trabalhadores descontentes, que partiram para outras fábricas, o governo soviético decidiu fazer isso acabar com uma severidade que nada mais é do que escravidão.

"Trabalhamos agora para um escravizador maior do que nunca", foi o comentário de um trabalhador que conhecia as fábricas pré-guerra. Esse homem ia trabalhar todos os dias com medo, pois morava fora de Moscou e tinha de pegar um ônibus para trabalhar. Alguns de seus amigos haviam sido demitidos por chegarem à fábrica com um quarto de hora de atraso e, morando longe de seu local de trabalho, ele temia o mesmo destino. Ser privado de um cartão de pão, que é a penalidade por um dia de ausência no trabalho, não é coisa fácil na Rússia. Não só o preguiçoso, porém, é demitido, mas também o trabalhador honesto.

Sem seguro-desemprego

Quando cheguei de Londres e vi o cartaz "A terra sem desemprego", o páthos e a hipocrisia da situação me impressionaram. Em Moscou, em Kharkiv, em todas as cidades, milhares estão sendo expulsos das fábricas. Eles não recebem cartão de racionamento de pão, como diversos trabalhadores me contaram, ou, em alguns casos, recebem apenas um cartão para quinze dias. Eles não recebem seguro-desemprego. Eles têm os passaportes confiscados e são enviados para longe das cidades, para o campo, onde não há pão e onde muitas vezes não conhecem ninguém.

Mais e mais trabalhadores estão atravessando os portões das fábricas para enfrentar a fome. Um vigoroso impulso econômico está reduzindo o número de funcionários em muitos escritórios e, em algumas fábricas, de 25% a 40%.

"Por que vocês têm tantos desempregados?", foi a pergunta que fiz a um conhecido comunista. Sua resposta foi típica da hipocrisia de muitos bolcheviques.

"Nosso desemprego está de acordo com o planejado. Estamos expulsando pessoas dos escritórios para que os outros trabalhem melhor. Estamos criando desemprego de propósito, e as pessoas entendem."

"De acordo com o plano!" Não importa a vida humana, desde que tudo esteja "de acordo com o plano".

Passaporterização, disciplina laboral e desemprego. Esses são os três fantasmas que assombram o trabalhador russo.

CONFISCO DE TERRAS E ABATE DE REBANHO

The Western Mail

CARDIFF, 8 de abril de 1933. A fome, muito maior que a de 1921, está agora afligindo a Rússia. A fome de doze anos atrás só era prevalente no Volga e em algumas outras regiões, mas hoje tomou a Ucrânia, o norte do Cáucaso, o distrito do Volga, a Ásia Central, a Sibéria — na verdade, todas as partes da Rússia. Falei com camponeses ou testemunhas oculares de cada um desses distritos e as histórias deles são as mesmas. Quase não sobra pão, os camponeses vivem de batatas ou de feno para o gado ou, se não têm nada disso, morrem.

Nas vinte aldeias que visitei, em três distritos agrícolas, a saber, a região de Moscou, o Distrito Central da Terra Negra* e o norte da Ucrânia, não havia pão. Em quase todas elas, camponeses morreram de fome.

Mesmo a trinta quilômetros de Moscou, não havia pão. Quando viajei por essas aldeias, os habitantes disseram: "É terrível. Não temos pão. Temos que ir até Moscou para conseguir, e então eles só nos dão dois quilos, pelos quais temos que pagar três rublos por quilo. Como uma família pobre pode viver disso?".

"Vamos morrer de fome!"

Um pouco mais adiante na estrada, uma mulher começou a chorar ao me contar sobre a fome e disse: "Eles estão nos matando. Não temos pão. Não temos mais batatas. Nesta aldeia, existiam trezentas vacas e agora elas são apenas trinta. Os cavalos morreram. Vamos passar fome". Muitas pessoas, especialmente na Ucrânia, sobreviveram por mais de uma semana apenas com sal e água, e a maioria delas com beterraba, que antes era dada ao gado.

No ano passado, o clima foi ideal. As condições climáticas nos últimos anos abençoaram o governo soviético. Então, por que a catástrofe? Em primeiro lugar, a terra foi confiscada de 70% do campesinato, e todo o incentivo ao trabalho desapareceu. Qualquer um com o sangue dos fazendeiros galeses correndo nas veias entenderá o que significa para um fazendeiro ou camponês ter sua própria terra tirada

---

* Terra Negra: região cujas terras férteis, ricas em matéria orgânica e minerais, fazem da Ucrânia o país com o melhor solo agrícola do mundo.

de si. No ano passado, quase todas as colheitas dos camponeses foram apreendidas violentamente, e o camponês não ficou com quase nada para si mesmo. Sob o Plano Quinquenal, o governo soviético pretendia estabelecer grandes fazendas coletivas, onde a terra seria de propriedade comum e seria trabalhada por tratores. Mas o camponês russo em um aspecto não é diferente do agricultor galês. Ele quer sua própria terra, e se sua terra for tirada dele, ele não trabalhará. A resistência passiva dos agricultores tem sido um fator mais forte que todos os discursos de Stalin.

Gado apreendido

Em segundo lugar, a vaca foi tirada do camponês. Imagine o que aconteceria no Vale de Glamorgan ou em Cardiganshire se os conselhos do condado levassem as vacas dos fazendeiros! O gado deveria ser de propriedade coletiva e cuidado por todos nas fazendas coletivas. Muitos animais foram apreendidos e levados para as grandes fábricas de gado do Estado.

O resultado dessa política foi um massacre generalizado do gado pelos camponeses, que não queriam sacrificar suas propriedades por nada. Outro resultado se deu nessas fábricas de gado do Estado, totalmente despreparadas e com poucos galpões, onde inúmeros animais morreram por exposição a epidemias. Os cavalos morreram por falta de feno. O gado da União Soviética agora está tão reduzido que só em 1945 poderá atingir o nível de 1928. E isso desde que todos os planos para a importação de gado sejam bem-sucedidos, desde que não haja doenças e haja feno. Essa data de 1945 me foi dada por um dos especialistas estrangeiros mais confiáveis em Moscou.

Em terceiro lugar, 6 ou 7 milhões dos melhores fazendeiros (isto é, os kulaks) na Rússia foram removidos de suas terras e exilados com uma barbárie da qual não se tem conhecimento na Grã-Bretanha. Embora, há dois anos, o governo soviético tenha afirmado que os kulaks tinham sido destruídos, o ataque selvagem contra os melhores agricultores continuou com uma violência crescente no inverno passado. Era objetivo dos bolcheviques destruir os kulaks como classe, porque eles eram "os capitalistas das aldeias".

FOME NA UCRÂNIA

Sempre a opressão

Uma camponesa do distrito de Moscou disse para mim: "Veja o que eles chamam de kulaks! Eles são apenas camponeses comuns* que têm uma vaca ou duas. Estão assassinando os camponeses e mandando-os para todos os lugares. É opressão, opressão, opressão". Vi, perto de Moscou, um grupo de camponeses miseráveis e famintos sendo conduzidos por um soldado do Exército Vermelho com uma baioneta presa em seu rifle. O tratamento dos outros camponeses foi igualmente cruel. As suas terras e os seus gados lhes foram tirados, e eles foram condenados à condição de servos famintos e sem-terra.

A razão final para a fome na Rússia soviética é a exportação de alimentos. O governo estava tão ansioso para cumprir com suas obrigações financeiras no exterior que exportou grãos, manteiga e ovos para comprar máquinas, enquanto a população passava fome dentro do país. A esse respeito, o governo soviético seguiu o exemplo do governo czarista, que costumava exportar grãos mesmo em anos com escassez de alimentos. Nunca houve na Rússia czarista, no entanto, uma fome atingindo todas as partes do Estado, como hoje. Exportar alimentos em tal período agravou a fome e, embora o governo soviético mereça elogios por seu hábito de pagar pontualmente, com sua política prejudicou a saúde e pôs em risco a vida de uma parte considerável da população.

A tomada da terra do camponês, o massacre do gado, o exílio dos agricultores mais trabalhadores e a exportação de alimentos são as quatro principais razões pelas quais há fome na Rússia hoje.

POR QUE HÁ DESEMPREGO NA RÚSSIA

The Western Mail

CARDIFF, 10 de abril de 1933. O primeiro Plano Quinquenal aboliu o desemprego. Enquanto, no mundo capitalista, os números de desempregados aumentavam mês a mês, a União Soviética podia dizer corretamente que havia

---

* Nem Stalin sabia direito como definir um kulak, segundo Simon Sebag Montefiore, no livro *Stalin*. Em uma de suas anotações, o ditador escreveu: *"O que significa kulak?"*.

134

enfrentado com sucesso esse problema. De fato, seu grande problema era a escassez de mão de obra.

O Plano Quinquenal teve sucesso no lado das munições, e muitas fábricas de armas e tanques foram construídas — pois o plano era principalmente militar, e não econômico.

O segundo Plano Quinquenal, que começou em 1º de janeiro de 1933, viu o retorno do desemprego. Mais de 20 mil trabalhadores foram recentemente demitidos de várias fábricas de Kharkiv. Milhares foram demitidos da Kharkiv Tractor Works. De outra fábrica de Kharkiv, 8 mil foram demitidos. Em Moscou, o número de demissões tem sido grande. Em algumas fábricas, cerca de 25% a 40% dos funcionários foram demitidos, enquanto em alguns escritórios até 53% perderam seus empregos.

É impossível estimar o total de desempregados, pois muitos deles são camponeses que invadiram as cidades, encontraram trabalho nas fábricas e agora estão sendo enviados de volta às aldeias. Não são publicados números de desemprego.

Condenados a passar fome

Não há seguro-desemprego. Quando um homem é demitido, seu cartão de racionamento de pão é tirado ou, em alguns casos, segue válido por quinze dias. O desemprego é, portanto, uma sentença de fome. O desempregado geralmente tem o passaporte negado e tem que trocar a cidade pelo campo, onde não há pão. Um homem muitas vezes perde seu posto por chegar ao emprego com quinze minutos de atraso, pois a disciplina do trabalho agora é extremamente rigorosa.

Por que há desemprego na Rússia? Por que esse problema, que não existia há um ano, voltou a incomodar o governo soviético?

A primeira razão é a escassez de matérias-primas. O fornecimento de carvão, madeira ou petróleo falha e as fábricas ficam ociosas, esperando até que o combustível necessário chegue. Em Kharkiv, a poucos quilômetros do distrito carbonífero mais rico da Rússia, havia escassez de carvão, o que levou a atrasos longos nas fábricas. Em Moscou, havia falta de gasolina, e isso também levou a paralisações. O mau transporte é responsável por esses atrasos. As linhas ferroviárias são bloqueadas e isso desorganiza a distribuição.

O impulso econômico

No *Pravda* de 19 de março li: "Vergonhoso trabalho da administração da Ferrovia do Sul. Nos armazéns da Fábrica de Metal Almaznyansky, 13 mil toneladas de metal estão ociosas, destinadas principalmente às fábricas de máquinas agrícolas; 1,5 mil toneladas estão esperando para serem enviadas para a fábrica de tratores de Kharkiv, 2 mil toneladas para a fábrica de Stalingrado, 2 mil toneladas para a fábrica de automóveis Níjni-Novgorod. A Ferrovia do Sul está enviando apenas de 12 a 15 vagões de ferro por dia, em vez de 35. Em alguns dias, nenhum vagão é despachado".

A segunda razão para o desemprego na Rússia é financeira. Há agora uma campanha de economia rígida sendo realizada. Muitas fábricas registraram déficits grandes. Os custos operacionais são extremamente altos. "O que se faz quando as fábricas têm déficit?", perguntei ao oficial do Comissariado das Finanças. Ele respondeu: "Aplicamos métodos para forçá-los a economizar. Até os obrigamos a não pagar salários e a demitir seus funcionários."

Isso leva ao desemprego. O diretor da fábrica tem que equilibrar o orçamento e, assim, demite os trabalhadores.

Alimentando os trabalhadores

A terceira razão para o desemprego na Rússia soviética é a escassez de alimentos. Cada fábrica foi responsabilizada pela alimentação de seus trabalhadores. A uma fábrica é dado um certo distrito agrícola do qual deve obter seus suprimentos. Um diretor se torna responsável pela alimentação. Quase nunca há comida suficiente para todos os trabalhadores por causa do colapso da agricultura. Para que o abastecimento de alimentos seja suficiente, os trabalhadores são demitidos e enviados para o campo. A escassez de alimentos é provavelmente a principal causa do desemprego.

A causa final foi dada para mim por um diretor da fábrica de tratores de Kharkiv. "Por que você dispensou os homens?", eu perguntei a ele. Ele respondeu: "Aprimoramos nosso conhecimento técnico e, portanto, não precisamos de tantos homens". Uma admissão de que o desemprego tecnológico não é uma característica apenas do capitalismo.

O Plano Quinquenal pretendia tornar a Rússia independente do resto do mundo. Esse objetivo falhou. Especialistas estrangeiros estão deixando a Rússia. Quando eles se forem, será uma desgraça para as máquinas soviéticas.

A falta de matérias-primas, as dificuldades financeiras, a escassez de alimentos e o aumento do uso de máquinas — essas são as quatro causas do desemprego na Rússia.

OS SOVIÉTICOS ESTÃO PRONTOS PARA A GUERRA

The Western Mail

CARDIFF, 11 de abril de 1933. A política externa da União Soviética é enfaticamente de paz. Se existe algum fator estável neste nosso mundo em constante mudança, é o fato de que a Rússia nunca atacará. A Rússia nunca fará isso porque sua posição interna é muito fraca. Um exército não pode lutar sem pão e, ainda que o governo soviético tenha boas reservas para o exército, isso não é suficiente para permitir-lhe embarcar em uma grande campanha militar.

A Rússia não atacará porque os camponeses se sublevariam ou se recusariam a entregar seus grãos. Uma guerra colocaria as armas nas mãos da população e significaria a derrubada do regime. A Rússia não atacará porque, em todo o seu território, existem minorias nacionais esperando que os tambores de guerra soem para conquistar sua independência. Na Ucrânia, o movimento por autonomia política está sempre crescendo e os ucranianos odeiam os grandes russos com raiva cada vez maior.

Russificação

A política de russificação que o governo soviético iniciou há cerca de dois meses aumentará os sentimentos de rebeldia na Ucrânia e enfraquecerá a força militar da Rússia.

Na Geórgia, os nacionalistas estão se fortalecendo e há muitos complôs clandestinos para derrubar o regime soviético. Na Ásia Central, os movimentos nacionais são sempre fortes e têm sido incentivados pela política tolerante de Moscou

FOME NA UCRÂNIA

de encorajar as línguas e a literatura nativas. Essas minorias estão esperando a guerra para se levantar. Assim, Moscou evitará conflitos estrangeiros.

A Rússia não atacará porque seu transporte é muito desorganizado para enviar tropas por longas distâncias. Esse fato explica a tolerância da Rússia na disputa da Manchúria.

Medo da guerra

O medo da guerra explica a política da Rússia soviética. Lênin profetizou que as nações capitalistas lançariam um ataque à União Soviética. Para evitar isso, a Rússia buscou amizade com todas as nações vizinhas. Ela se recusa a pertencer a qualquer grupo de nações por medo de ser arrastada para um conflito. Ela se recusa a fazer qualquer aliança pelo mesmo motivo. Assim, propôs e assinou pactos de não agressão com vários países, incluindo Polônia e França. Recentemente, houve uma reaproximação entre a União Soviética e a França.

Uma nação se recusou a assinar um pacto de não agressão com a Rússia, e essa nação é o Japão. Essa recusa levou muitos observadores soviéticos a temer que o Japão estivesse planejando atacar a Rússia.

Atitude para com a Liga

A União Soviética não gosta da Liga das Nações*, porque é uma organização capitalista e porque tem muitos membros que não reconhecem Moscou, mas cooperou energicamente em Genebra na questão do desarmamento. A União Soviética recentemente esperava que os Estados Unidos lhe dessem reconhecimento diplomático. Mas essas esperanças têm esvaecido desde a prisão dos engenheiros britânicos, e agora não é provável que os Estados Unidos enviem um embaixador a Moscou. Relações próximas entre os Estados Unidos e a Rússia, no entanto, não estão fora de cogitação porque ambos os países estão unidos pelo medo da expansão japonesa.

---

* Liga das Nações: organização internacional idealizada logo após a Primeira Guerra Mundial, quando os países negociavam o Tratado de Versalhes. Com a Segunda Guerra Mundial, foi dissolvida e substituída pela Organização das Nações Unidas, a ONU.

Propagação do militarismo

Apesar do desejo de paz da União Soviética, houve uma grande disseminação do militarismo nesse país. Cartazes extravagantes mostram a necessidade de defesa. As crianças nas escolas recebem demonstrações de utilização de máscaras de gás e são ensinadas a atirar. Em uma aldeia a pelo menos 1.600 quilômetros da fronteira mais próxima, fui informado de que os camponeses haviam sido ensinados a usar máscaras de gás. A Sociedade de Aviação e Defesa Química é uma organização próspera, com 12 milhões de membros espalhando sua influência pelas fábricas e oferecendo campo de treinamento para aqueles que estão prestes a ingressar no Exército. A aviação militar fez grandes avanços na Rússia. Grande pressão é colocada sobre o Exército e sobre as fábricas de munições.

A política da Rússia é, portanto, um paradoxo — combina grande desejo de paz com preparação enérgica para a guerra.

ADEUS, RÚSSIA

The Daily Express

LONDRES, 11 de abril de 1933. Durante anos, os jovens da Grã-Bretanha ficaram confusos. O sistema capitalista parece estar à beira de um precipício. Os nacionalistas correram sem freios em todos os países, tremulando suas bandeiras de patriotismo barato.

Em todos os lugares, o clamor tem sido: "Aumentem os impostos", e o mundo ficou louco por impostos. "Acumulem mais armas", gritam outros, e os exércitos do mundo aumentam em tamanho e poder de ataque.

Os homens perderam seus empregos em todas as cidades e vilarejos da Grã-Bretanha. Vendo isso, muitos jovens disseram: "Há algo radicalmente errado. Talvez possamos aprender com a União Soviética". Eu mesmo era um daqueles milhões que pensavam que a Rússia poderia ter uma lição a oferecer.

* * *

Sendo um liberal, eu não tinha paciência com os teimosos, e não estava preso às formas tradicionais de pensamento conservador.

FOME NA UCRÂNIA

O idealismo dos bolcheviques me impressionou antes de ir para a Rússia. Esse era um país onde os governantes procuravam construir uma indústria em benefício dos trabalhadores. Chegara a hora de a igualdade reinar e as classes desapareceriam. A injustiça do capitalismo desapareceria. A educação deveria ser transmitida ao camponês mais humilde, e tudo deveria existir para o bem das massas.

A coragem dos bolcheviques me impressionou. Eles enfrentaram suas dificuldades como homens. Procuraram construir grandes cidades onde antes havia estepes nuas. Planejaram as grandes fábricas do mundo. Eles desejaram fazer coisas e não ficaram ociosos, sem um plano, como na Inglaterra.

* * *

O internacionalismo dos bolcheviques me impressionou. Eles deixam de lado todos os preconceitos pequenos entre as raças. Eles abominavam o genocídio. Eles deram direitos às nações menores para falar suas próprias línguas. Eles não eram culpados pelos nacionalismos estreitos dos dias do pós-guerra.

Depois fui para a Rússia.

Lá, tive todas as chances de ver a situação real, pois viajava sozinho, caminhava por aldeias e cidades e dormia nas casas dos camponeses. Os funcionários soviéticos que cuidavam de relações exteriores foram sempre corteses e não pouparam esforços para me ajudar. Eu, pessoalmente, gostava da maioria dos bolcheviques que conhecia. A viúva de Lênin, por exemplo, foi uma das melhores mulheres que conheci, e ela merece meu profundo respeito. Eu fui capaz de andar livremente sem obstáculos.

O que eu encontrei? Nem tudo era negro. Muito trabalho estava sendo feito para cuidar das crianças dos trabalhadores nas cidades. Muitas casas novas tinham sido construídas para a classe trabalhadora em Moscou. O problema dos meninos sem-teto foi enfrentado com vigor em 1930 e 1931. As galerias de arte e os museus estavam entre os melhores que existem.

* * *

Na indústria, os russos também estavam construindo rapidamente. Eu vi as torrentes fluindo pela represa Dnieperstroy. A fábrica de automóveis em Níjni--Novgorod cresceu com uma velocidade da qual até o Ministério de Munições britânico, durante a guerra, teria ficado orgulhoso.

TESTEMUNHA DO HOLODOMOR

A fábrica de tratores de Kharkiv também foi uma conquista da qual os bolcheviques podem se vangloriar com razão.

Do lado humano, os bolcheviques tinham algumas características admiráveis. Muitos deles mostraram, em 1930 e 1931, grande entusiasmo e autossacrifício heroico. Nas relações exteriores, fiquei e ainda estou impressionado com a política de paz que o governo soviético está conduzindo. A Rússia soviética nunca atacará.

Esse é o lado do crédito. E o lado do débito?

* * *

Há, primeiro, a queda rápida do padrão de vida; 1930 foi um ano ruim, mas agora parece até próspero em comparação com a primavera de 1933. A fome assola a terra. Certamente, a construção de grandes fábricas não compensa a fome.

Há a guerra de classes selvagem, que não é um *slogan* de propaganda, mas um verdadeiro programa de terror.

A luta de classes levou à repressão de milhões de indivíduos inocentes cujo único pecado foi não serem descendentes de pessoas da classe trabalhadora. Isso tem levado à dominação do OGPU e a episódios de tortura.

Foi o que levou a Justiça, que deveria estar acima das classes, a se tornar uma arma do Partido Comunista para esmagar aqueles que não são de origem operária. "A arte é uma arma de luta de classes", era o aviso sobre uma galeria de arte em Moscou. Tudo está subordinado à luta de classes. A opressão da religião, que não é um mito, mas um fato, é outra mancha negra a ser colocada contra o regime soviético.

A hipocrisia foi cultivada em maior medida do que nunca. Os comunistas não se atrevem a criticar a política do partido e, embora saibam que a fome exista e que o Plano Quinquenal destruiu o país, ainda falam de suas conquistas gloriosas e de como elevaram o padrão de vida. Mas o idealismo de 1930 e 1931 desapareceu.

* * *

O medo tornou-se o motivo dominante de ação. O membro do partido teme ser expulso. O camponês teme morrer de fome. O trabalhador tem medo de perder o cartão de racionamento de pão. O professor teme ser

FOME NA UCRÂNIA

acusado de propaganda contrarrevolucionária em suas aulas. O morador da cidade tem medo de que seu passaporte seja negado. O engenheiro teme ser acusado de sabotagem.

Mas o maior crime de que o regime soviético é culpado é a destruição do campesinato. Seis ou sete milhões de camponeses em melhor situação foram mandados de suas casas para o exílio. O tratamento dado aos outros camponeses tem sido igualmente cruel. Suas terras e seus rebanhos lhes foram tirados e eles foram condenados à condição de servos sem-terra.

* * *

O laço está ficando cada vez mais apertado no pescoço do camponês russo, e o exílio e a fome o assombram. Mas, ao destruir o camponês russo, os bolcheviques estão destruindo a Rússia, e essa política maluca será seu castigo.

Qual é, então, a lição da Rússia soviética?

É que um Estado não pode viver da doutrina da luta de classes e que as ideias que temos na Grã-Bretanha de liberdade pessoal e dos direitos de cada indivíduo não estão tão erradas e devem ser defendidas a todo custo.

A PÁSCOA EM UM PAÍS SEM DEUS

The Western Mail

CARDIFF, 12 de abril de 1933. A Páscoa na União Soviética é um período de renovada propaganda antirreligiosa. Quando ocorre um festival cristão, a Sociedade de Ateus dispara sua publicidade antideus com mais vigor. Na época do Natal e da Páscoa, há procissões zombeteiras nas ruas que insultam as crenças e ritos do cristianismo.

Os métodos dos ateus, no entanto, mudaram desde 1930, e a perseguição à religião está agora em seu quarto período. No primeiro período, de 1917 a 1921, os religiosos foram perseguidos por métodos violentos e inúmeros padres foram mortos ou enviados para as ilhas-prisões do Norte e para a Sibéria. Quando a Nova Política Econômica foi introduzida, em 1921, iniciou-se um período de relativa tolerância, que foi interrompido de tempos em tempos por surtos de perseguição, como o julgamento e a sentença de morte do arcebispo católico Cepiak, em 1923.

Quando, em 1928, porém, o período de tolerância terminou e Stalin começou sua empreitada de rapidamente transformar a Rússia em um Estado socialista industrializado com seu Plano Quinquenal, a religião foi novamente submetida a uma perseguição violenta.

A religião como um prego

De 1928 a 1930, a força foi aplicada para esmagar todas as seitas e credos religiosos. Nenhum foi poupado. O ataque não foi apenas contra a Igreja Ortodoxa, que havia sido um pilar do czarismo, mas contra batistas, evangélicos, muçulmanos e as inúmeras seitas que tinham surgido. Essa tentativa de esmagar a religião pela força entre 1928 e 1930 falhou. Lunacharsky, que já foi comissário para a Educação, resumiu o fracasso com franqueza sucinta quando declarou: "A religião é como um prego: quanto mais você bate nela, mais fundo ela penetra".

Esse ditado norteou a política antirreligiosa dos bolcheviques desde 1930, quando começou o quarto período, e a nota dominante era: "Devemos combater a religião por métodos mais sutis, como a ciência e a propaganda".

A nova política

Assim, os ateus agora se declararam contra a força física e o Estado proclama: "Somos pela luta ideológica, pela propaganda cultural profunda". Palestrantes percorrem o país para mostrar que a religião não é científica, e sim mera superstição, que a religião simboliza sujeira, doença e embriaguez, enquanto o ateísmo traz a luz elétrica, o avião e o trator.

O ateísmo está associado ao ensino correto de biologia, geografia, fisiologia, química e outras ciências. A religião está associada a tudo o que é medieval, como bruxas, feitiços, maldições, fadas aquáticas e fantasmas. Por que os comunistas lutam contra a religião? A política deles é guiada pelo *slogan*: "O ateísmo é uma arma da luta de classes". Porque tem havido lutas de classes constantes desde 1928, a batalha pelo ateísmo foi travada com maior energia. Os comunistas afirmam que as classes que eles estão destruindo não morrem sem lutar, e que elas usam a religião como arma para prejudicar a construção do socialismo.

"Cartas de Deus"

Os religiosos, reclamam os comunistas, estão lutando contra as fazendas coletivas socialistas. Os padres têm escrito cartas que supostamente vieram de Deus, afirmando: "Eu, Deus, digo a você que a fazenda coletiva é obra do Diabo".

De acordo com os comunistas, os camponeses religiosos têm alertado os outros que, se entrarem nas fazendas coletivas, irão para o inferno. Os comunistas queixam-se de os camponeses religiosos se agitarem contra os métodos científicos, e de ainda serem a favor do sistema de três campos*, porque, como dizem, "até Deus é a favor do sistema de três campos, porque Deus é para a Trindade, e a Trindade é simbólica para o sistema de três campos".

Os comunistas afirmam que as festas religiosas prejudicam a agricultura e que os agricultores bebem tanto durante esses eventos que não trabalham por muitos dias, o que afeta a semeadura da primavera. Também são contra a religião porque afirmam que ela mantém o velho mundo capitalista e que as igrejas são meras ferramentas de Rockefeller, Ford e Deterding.

"Por que existem missionários no mundo?", eles perguntam e eles respondem: "Os missionários estão lá porque os capitalistas e os imperialistas os enviaram".

Crianças ateias

Dessa forma, os bolcheviques estão tentando esmagar a religião. Embora tenham dito que abandonaram os métodos de força, milhares de pregadores e padres agora estão passando fome na prisão. Qual tem sido o sucesso deles? Entre as crianças, a propaganda e o ensino nas escolas, sem dúvida, têm tido um efeito grande. Se você perguntar às crianças russas: "Você acredita em Deus?", a maioria responderá enfaticamente: "Não".

Mas há muitos jovens que acreditam em Deus. Uma garota russa me disse que acreditava em Deus, mas que iria se juntar à Liga dos Jovens Comunistas. "Como você pode se juntar à Liga dos Jovens Comunistas quando acredita em Deus?", eu perguntei. Ela respondeu: "Claro que posso. Vou fingir ser

---

* No sistema de três campos, a terra era dividida em três áreas, e cada uma era trabalhada em uma época diferente.

comunista e fazer maravilhosos discursos comunistas, mas sempre acreditarei em Deus", e acrescentou uma frase que me impressionou profundamente: "Meu coração não precisa acreditar naquilo que meus lábios dizem".

O coração do povo russo muitas vezes permanece cristão, enquanto seus lábios proferem calúnias contra Deus. A religião não foi esmagada.

Novas seitas

Houve um reavivamento religioso no ano passado. Inúmeras seitas surgiram. A religião no plano pessoal cresceu. A profunda emoção humana está tomando o lugar das cerimônias. O sr. Hessell Tiltman estava certo quando disse: "Eles podem atirar em todos os cristãos na Rússia, e homens e mulheres de lá ainda vão alentar a imagem de Deus em seus corações. Muito depois de o último cartaz antideus ter desaparecido dos painéis, a última lição de ateísmo ter sido dada nas escolas e os atuais líderes soviéticos não existirem mais, o amor de Deus será encontrado nos corações russos. Pois os comunistas, que gostam tanto de citar os provérbios de Lênin, esqueceram um provérbio que Lênin não escreveu, mas cuja verdade é atestada por toda a história. Esse provérbio diz: 'O sangue dos mártires é a semente da Igreja'".

O GOLPE DO OGPU NO COMÉRCIO

The Western Mail

CARDIFF, 20 de abril de 1933. O julgamento dos engenheiros britânicos em Moscou será considerado uma das maiores mancadas da história. O passo em falso que o OGPU (polícia política do Estado) deu cegamente ao ordenar a prisão dos seis britânicos teve resultados muito prejudiciais para a União Soviética. O OGPU montou a operação sem consultar ninguém. Seus funcionários deixaram o Ministério das Relações Exteriores soviético no escuro e lançaram as acusações forjadas frente a um público soviético atônito.

O Ministério das Relações Exteriores de Moscou não pôde lutar contra o OGPU, que agora é todo-poderoso, e teve de defender as ações do OGPU em público, enquanto provavelmente praguejava contra elas em particular.

FOME NA UCRÂNIA

Mentalidade bolchevique

O que o OGPU fez está de acordo com a mentalidade bolchevique. A ação foi motivada por um grande medo das nações capitalistas. De acordo com os bolcheviques, os capitalistas estão sempre tramando a derrubada da União Soviética e enviando enxames de espiões para a Rússia.

"A Inglaterra e os Estados Unidos estão preparando uma guerra contra a União Soviética. O papa e os hitleristas são aliados na preparação para atacá-la."

Esses são cartazes típicos de propaganda que podem ser vistos em todos os lugares. Esse medo do ataque capitalista está profundamente impresso na mente russa, pois os bolcheviques aceitam credulamente a profecia de Lênin de que a guerra entre capitalismo e comunismo está prestes a acontecer. Não é surpresa que a maioria dos especialistas ou observadores britânicos que vão à Rússia sejam suspeitos de serem espiões.

O OGPU é fanático em outra de suas suspeitas, a saber, as relações entre o povo britânico e o serviço de inteligência. Os bolcheviques realmente acreditam que a Scotland Yard (que eles confundem com o serviço de inteligência britânico) é uma força todo-poderosa que domina a vida britânica. A Scotland Yard, em sua imaginação, é o equivalente exato do OGPU e mantém todos os homens, mulheres e crianças sob seu controle.

Os bolcheviques foram ensinados a acreditar que todos os indivíduos britânicos que vão para o exterior devem se reportar à Scotland Yard, precisam de permissão especial para deixar o país e devem passar à Scotland Yard informações militares ao retornar para a Inglaterra. Nos dias anteriores à guerra, a polícia czarista também suspeitava do caráter dos estrangeiros que entravam na Rússia.

Fantástico, mas verdadeiro

O OGPU também era fanático em sua suspeita de sabotagem. A destruição das máquinas tem sido um crime frequente tanto na Rússia czarista quanto na bolchevique. Embora a acusação pareça fantástica, a sabotagem é uma ideia bastante natural para os russos. Muitas máquinas valiosas foram inutilizadas por danos propositais causados pelos russos que odeiam o sistema bolchevique.

Portanto, o erro do OGPU é natural considerando a história e a mentalidade russas. O descaso do OGPU pela vida humana também é natural tendo em vista

146

o caráter russo. A vida humana nunca teve muito valor na Rússia, e os direitos do indivíduo sempre foram desprezados pela classe dominante, seja czarista ou bolchevique. Nem a opinião pública russa terá muito efeito sobre a política dos bolcheviques. Os jovens comunistas e os membros do partido verão no julgamento uma explicação para os colapsos da indústria. Mas o resto do país só vai pensar e falar de um assunto — comida.

Resultados imprevistos

O maior erro do OGPU foi em sua ignorância sobre os países estrangeiros. Não previu o primeiro resultado do julgamento, que foi uma publicidade mundial dos perigos que acompanham os negócios de engenharia na Rússia. O julgamento lançou um holofote vívido sobre como o governo trata especialistas estrangeiros. A reação natural em uma empresa estrangeira é: "Como podemos negociar com pessoas que tratam os representantes de uma empresa de primeira classe de maneira tão vergonhosa?". Os métodos de terceiro grau empregados no julgamento e a natureza inválida das provas obtidas, aterrorizando os russos, também prejudicaram o governo soviético aos olhos estrangeiros.

A segunda consequência do julgamento que o OGPU não previu foi a barreira que colocou no caminho do reconhecimento americano. O presidente Roosevelt parecia a favor de estabelecer relações diplomáticas com a União Soviética, mas o julgamento de Moscou alarmou os americanos, e esse objetivo da política externa soviética — o reconhecimento americano — está agora mais distante do que nunca.

Perdas comerciais

A consequência final que não foi prevista pelo OGPU é a proibição de 80% das importações da Rússia, que foi anunciada ontem. Na próxima semana, a importação de petróleo, trigo, manteiga, algodão cru, madeira e outras commodities será proibida. Isso causará um duro golpe no comércio exterior soviético, pois a Grã-Bretanha tem sido o maior mercado da Rússia. Normalmente, quase um terço das exportações soviéticas vão para o Reino Unido. Em 1931, a União Soviética vendeu à Grã-Bretanha mercadorias no valor de 32 milhões de libras e comprou da Grã-Bretanha 9 milhões de libras em produtos.

A proibição da madeira da Rússia pode trazer dificuldades, devido aos grandes contratos que foram assinados e à adequação da madeira russa às necessidades britânicas. Entre os itens proibidos estão madeiras tortas e com nós.

A proibição de alimentos provavelmente não mudará muito a situação, pois sua exportação diminuirá rapidamente devido ao massacre do gado e à ruína da agricultura na Rússia.

Efeitos do embargo

Alguns dos efeitos do embargo serão lastimáveis. O comércio marítimo entre os portos britânicos e a Rússia será afetado negativamente. O fechamento do mercado britânico causará ao governo soviético grandes dificuldades para cumprir as obrigações no exterior, e isso prejudicará os empresários britânicos a quem a Rússia deve dinheiro. Além disso, vai acelerar o calote russo na Alemanha, e isso colocará em risco a situação orçamentária alemã. Mal pensava o OGPU nas consequências políticas e econômicas mundiais ao abordar os engenheiros britânicos em seus alojamentos em Moscou.

"PÃO, ESTAMOS MORRENDO DE FOME!"

Washington Herald

WASHINGTON, 4 de junho de 1933. A Rússia soviética hoje sofre de uma fome que muitos observadores estrangeiros naquele país consideram muito pior do que a de 1921. Apesar de o governo soviético negar que haja fome, eu a testemunhei com meus próprios olhos.

Em março, eu escutei um grito em todos os lugares: "Não há pão!". Primeiro, eu ouvi isso de camponeses nas ruas de Moscou, quando um velho ucraniano veio até mim e disse:

"Dê-me algo para comprar pão. Estamos morrendo na Ucrânia, pois não o temos. Por isso, vim a Moscou comprar pão para levar de volta à minha aldeia".

TESTEMUNHA DO HOLODOMOR

Em pouco tempo, um jovem camponês ucraniano veio até mim e implorou: "Estamos morrendo em nossas aldeias", disse ele. "Na Ucrânia, nós estamos condenados, pois não temos pão."

Camponeses de muitas partes da Rússia foram em bandos para Moscou em busca de pão. Eu conversei com uma menina da Crimeia, que vendia flores brancas da primavera. Sua queixa foi: "Não temos pão na Crimeia e as pessoas estão morrendo de fome".

Conversei com uma família de camponeses — pai, mãe e dois filhos pequenos — que vagavam sem rumo perto da Casa de Ópera e me pediram dinheiro. Eles tinham migrado de Kiev e falaram da fome lá. "Não há pão", me disseram.

Conversei com os camponeses de Níjni-Novgorod que vendiam nas esquinas tigelas de madeira esculpidas em casa. Eles disseram que não havia pão no distrito deles, no Volga.

"Eles tomaram todas as nossas fazendas e agora estamos morrendo de fome", disseram.

Conversei com muitos agricultores que tinham vindo de bairros vizinhos e fiquei surpreso ao saber de cada um deles — o que mais tarde eu descobriria por mim mesmo — que mesmo nos bairros próximos a Moscou não há pão.

Nove em cada dez cavalos pereceram

"Moscou está nos alimentando. Se não fosse por Moscou, passaríamos fome", foram frases que ouvi com frequência.

Uma invasão camponesa das cidades maiores da Rússia tinha acontecido e as declarações desses camponeses foram a primeira evidência de uma fome.

"Quantas vacas existem em sua aldeia?", perguntei aos camponeses que conheci nas cidades. Suas respostas revelaram outra característica da fome — o declínio desastroso dos rebanhos de gado na Rússia. Um ucraniano em Moscou respondeu:

"Na minha aldeia, tínhamos 150 vacas. Agora, são apenas seis."

Uma camponesa que morava a cerca de 50 quilômetros de Moscou respondeu: "Tínhamos trezentas vacas e agora temos menos de cem".

"Só sobrou um décimo de nossas vacas", foi a resposta de outro agricultor.

"Quantos cavalos você tem em sua aldeia?", foi minha segunda pergunta. Suas respostas apontaram para um declínio catastrófico de cavalos. Em uma

149

FOME NA UCRÂNIA

aldeia, os cavalos diminuíram de aproximadamente 80 para 18. A maioria dos camponeses afirmou que aproximadamente nove décimos dos cavalos morreram. Embora isso parecesse certamente exagerado, as informações que recebi de estrangeiros que moravam há anos na Rússia apoiavam a principal tendência que os camponeses apresentavam.

Para descobrir as condições reais nas aldeias, decidi vagar sozinho por vários dias por uma pequena parte do Distrito Central da Terra Negra e por uma pequena parte da Ucrânia.

Uma noite, entrei em um vagão do trem mais lento entre Moscou e Kharkiv, que parava em todas as estações. Nesta viagem, testemunhei muitos sinais de fome. Em várias estações, desci e conversei com os camponeses que ficavam perto do trilho do trem. O grito era o mesmo em todos os lugares:

"Não temos pão, muitos estão morrendo."

Em Rzhava, conversei com um grupo de mulheres camponesas que pareciam perdidas e confusas. Elas me explicaram: "Viemos da Ucrânia e estamos tentando ir para o Norte. Praticamente não comemos pão há dois meses. Em nossas aldeias, as pessoas estão morrendo rapidamente. Queremos ir mais para o Norte, mas eles não nos dão passagens de trem e não sabemos o que fazer".

Aviso: aldeões desesperados por comida

A bordo do trem, os passageiros contavam sobre a fome nas aldeias. Um jovem comunista, que era de uma aldeia, mas havia trabalhado em uma cidade, disse:

"Não como pão há uma semana, só batatas. Meu irmão morreu de fome. Quando deixei minha mãe e duas irmãs, há alguns dias, elas tinham apenas dois copos de farinha sobrando."

No trem, muitos camponeses diziam ter ido para as cidades em busca de pão. É, portanto, um paradoxo que agora na Rússia haja pão nas cidades e nenhum pão, ou pouco, nas aldeias. Assim, as cidades, que são visitadas por turistas, dão uma falsa impressão da situação russa.

Finalmente, desci do trem em uma pequena aldeia e caminhei pela neve. "Tenha cuidado nas aldeias. Eles estão desesperados por causa da fome", foi a última advertência que ouvi quando saí do vagão. Com minha mochila cheia de comida comprada com dólares nas lojas Torgsin, saí pela neve. Os dias seguintes eu passei nas aldeias, dormindo em cabanas de camponeses, conversando com todo mundo que encontrava.

Isso, é claro, foi um grande exagero, mas não há dúvida de que parte da população morreu.

Ost-Express, uma agência de notícias alemã que é considerada altamente confiável nos círculos oficiais, estima que, em algumas das regiões de colonos alemães na Rússia, de 15% a 25% da população morreu. Cartas enviadas por colonos alemães pedindo ajuda de parentes fazem uma leitura trágica. Aqui vão alguns extratos típicos de cartas, das quais milhares são enviadas para a Alemanha e outros lugares:

"Você simplesmente não pode imaginar o que a fome significa. Já passamos por isso uma vez e essa vida triste está diante de nossos olhos novamente. O futuro é terrível."

"Há uma semana e meia não temos nada além de sal e água em nosso estômago e nossa família é composta por nove almas."

Uma carta da região do Volga contém a seguinte passagem:

"Não se pode passar pela estrada. Ela está marcada por corpos humanos. Não há mais ninguém entre todos os nossos amigos que tenha alguma coisa para comer... Os quatro filhos de seu irmão morreram de fome e os outros não estão longe disso. Eles sobrevivem — não é bom escrever isso — comendo a carne dos mortos*."

Recebi a confirmação de russos e estrangeiros que estiveram recentemente na Ásia Central, Cazaquistão, Sibéria Ocidental, Norte do Cáucaso, Ucrânia e nos distritos do Volga de que a fome é grave nessas regiões.

Tal é a fome na Rússia na primavera após o fim do Plano Quinquenal. Quais são suas causas? E o futuro?

FAZENDAS COLETIVAS SOVIÉTICAS CAUSARAM FOME NA RÚSSIA

New York American

NOVA YORK, 11 de junho de 1933. A fome que agora está matando centenas na União Soviética não pode ser atribuída ao clima, pois nos últimos anos as condições climáticas — com exceção da seca, em algumas áreas, em 1931 — beneficiaram o governo soviético. Então, por que a catástrofe?

---

* No original: *"eating carrion"*.

A fome causada pelo homem

Trata-se do resultado da política soviética de abolir a fazenda privada e substituí-la por grandes fazendas coletivas, onde a terra e o gado são de propriedade comum. Essa política de coletivização, acelerada com uma velocidade tresloucada durante o Plano Quinquenal, buscou americanizar os campos de grãos da Rússia.

Os campos de trigo dos Estados Unidos foram formados com muita mecanização, um exemplo que os bolcheviques tentaram imitar. Os minifúndios dos pequenos camponeses deveriam desaparecer e milhares de tratores deveriam trabalhar vastas áreas. A ciência deveria aumentar a produção com o uso de fertilizantes.

Em 1933, essa grande revolução faria da Rússia novamente o celeiro do mundo. A agricultura em larga escala sob a direção comunista e sem propriedade privada da terra seria a salvação dos bolcheviques.

Os líderes soviéticos levaram tudo em consideração, exceto uma coisa — o fator humano. Eles estudaram o solo, o trator, a ciência, os fertilizantes, mas se esqueceram do homem. Como resultado, a profecia de Paul Schaeffer, de que coletivização seria a ruína do comunismo, pode se tornar realidade.

Fome de Terra

Foi isso que fez a Revolução de 1917.

O governo soviético tem considerado o camponês russo poderoso demais. Em uma série de visitas à Rússia, tive centenas de conversas com camponeses russos e pude analisá-las. Há quatro ideias dominantes em quase todas essas conversas. São elas:

1. TERRA;
2. PÃO;
3. VACA;
4. LIBERDADE.

Essas quatro palavras resumem a mentalidade do camponês russo. Quantas vezes não os ouvi dizer: "Quero minha própria terra. Como posso ser feliz se não tiver minha própria terra? Por que devo trabalhar se não tenho minha própria terra?".

A fome de terra do camponês russo fez a Revolução de 1917. Ao longo dos séculos, o grito dele tem sido: "Terra, mais terra!". Com a revolução, ele aumentou seu pedaço de terra e tornou-se mais capitalista do que nunca.

Quando o Plano Quinquenal foi organizado pelo governo soviético, a terra lhe foi tirada. Não admira que ele estivesse amuado e não cuidasse do solo.

O que faria um fazendeiro americano se a polícia tirasse sua terra? Sua reação seria muito mais violenta do que mero mau humor. Apenas em casos isolados o camponês russo assassinou os comunistas das cidades, embora muitas aldeias tenham se revoltado. Sua vingança habitual era recorrer à cozinha e negligenciar os campos.

Dois terços dos camponeses foram coletivizados e não possuem mais suas terras. Eles recorreram à resistência passiva e, depois, colheitas ruins e epidemias afetaram centenas de pessoas, as quais agora praguejam contra o campo russo.

Confisco: governo apreende mais grãos do que impostos

"Pão" é a segunda nota dominante na mente do camponês. Há um mês, um ucraniano expressou isso admiravelmente para mim quando disse: "Não me importo se trabalho para um latifundiário, um comunista ou um polaco, desde que ele me dê pão suficiente".

O grão cultivado pelos camponeses foi apreendido violentamente nas coletas. As camponesas lamentavam para mim: "Levaram-nos todos os grãos, não há pão. Como podemos viver?".

As fazendas coletivas estão associadas, na mente do camponês, ao confisco de grãos e à ausência de pão.

"Por que devemos trabalhar quando tudo o que produzimos nos é tirado?", perguntou um camponês.

Muitas vezes, o governo não pagava ao camponês pelo grão que apreendia e, quando pagava, a soma (de 90 copeques a 1,5 rublo para cada pood* — 16,5 quilos de trigo) significava puro confisco. Além disso, o camponês não pode

---

* Pood: antiga unidade de peso da Rússia equivalente a 36 libras ou 16,5 quilos.

trabalhar sem pão. A fraqueza física, assim como a resistência passiva, o mantém em seu fogão.

A "vaca" desempenha um papel importante na mentalidade do camponês. Para ele, é riqueza e felicidade. Juntar-se à fazenda coletiva significava, na maioria dos casos, desfazer-se da vaca em nome do bem comum. Os camponeses diziam: "Por que devo entregar minha vaca aos outros? Por que os bêbados e os imprestáveis devem ter o benefício da minha vaca?".

Quando o governo tentou forçá-los a entregar suas vacas, eles retaliaram massacrando seu gado e comendo-o.

O massacre do gado foi especialmente disseminado. Em janeiro e fevereiro de 1930, antes de Stalin emitir seu grito de "Pare!", o governo soviético se arrependeu da política de privar o camponês de sua vaca. Em algumas fazendas coletivas, o camponês pôde manter uma vaca, mas aí já era tarde demais, pois a falta de feno era grave.

Milhões de animais foram confiscados dos camponeses e enviados para fábricas de bovinos recém-formadas, onde eles morreram por exposição a epidemias.

Kulaks: os camponeses que mais trabalham

Tão grande foi o avanço contra o gado da Rússia desde que o Plano Quinquenal entrou em vigor que só em 1945 o gado poderia atingir o nível de 1928. A previsão, dada por um dos mais confiáveis especialistas estrangeiros em Moscou, só se concretizará se houver feno, nenhuma doença e os planos de importação de gado forem bem-sucedidos.

A "liberdade" tem sido outra força que move o camponês russo. Ele se opõe a ser conduzido nas fazendas coletivas por jovens comunistas das cidades. Enquanto o uso da força pode levar a conquistas de pequena duração, ela não pode fazer 120 milhões de camponeses aumentarem sua produção.

Além disso, a força levou à erradicação de seis ou sete milhões de "kulaks" — os ex-camponeses ricos. Eles foram enviados para o exílio com uma barbárie não percebida pelo mundo exterior.

Política: planos soviéticos para esmagar a oposição

Perto de Moscou, vi um grupo de camponeses famintos e miseráveis sendo conduzido por um soldado do Exército Vermelho com sua baioneta. Essa visão me fez lembrar de uma conversa com uma camponesa que disse: "Veja o que eles chamam de kulaks. São apenas camponeses comuns que têm uma vaca ou duas. Eles estão assassinando os camponeses, mandando-os embora para qualquer lugar. É opressão, opressão, opressão!".

Os kulaks eram os camponeses mais ricos e mais trabalhadores, e a destruição deles significa uma grande perda para a riqueza nacional da Rússia.

A política soviética de coletivização colidiu com a mentalidade do camponês russo, e sua resistência passiva venceu. Acrescente a isso a queda desastrosa dos preços mundiais, que obrigou o governo soviético a exportar cada vez mais grãos, manteiga e outros alimentos para cumprir suas obrigações no exterior, e tem-se uma visão geral de por que agora existe fome na Rússia.

E o futuro? Uma das campanhas de semeadura da primavera mais decisivas da história da Rússia está em andamento. Para tentar avaliar o resultado desta campanha, fiz estas perguntas, em março, em cada aldeia que visitei:

1. Como foi a semeadura e a lavoura do inverno?
2. Você tem sementes?
3. Como será a semeadura da primavera?

A semeadura e a lavoura do inverno foram ruins em todas as regiões. Em algumas partes, quase não havia semeadura de inverno. A semeadura de inverno representa cerca de um terço da colheita total. Grande parte das sementes foi comida no último outono.

Em muitas aldeias, havia falta de sementes. Especialistas afirmam, no entanto, que o governo tem reservas de sementes muito maiores que as de 1921 e que abasteceu bastante a Ucrânia. Mas há uma falta evidente de sementes em muitos distritos. Existe o perigo de que, se não houver a quantidade certa de sementes, as ervas daninhas vencerão e sufocarão o grão.

Quando questionados sobre as perspectivas da semeadura da primavera, os camponeses respondem: "Como podemos semear quando estamos todos fracos e inchados? Como podemos semear quando, em um mês, podemos não ter mais feno para comer, quando nossos cavalos morreram e não podemos arar?".

Desânimo: o futuro traz pouca esperança para as massas

O fator mais importante na semeadura da primavera é a ausência de cavalos e tratores. Em muitas aldeias, cerca de quatro quintos dos cavalos morreram e os que resistiram estavam fracos e doentes. Não havia tratores suficientes para compensar a morte dos cavalos.

Um camponês sábio colocou o problema de forma concisa: "Um cavalo é melhor que um trator. Um trator vai e para, mas um cavalo vai o tempo todo. Um trator você só pode usar em certas estações, mas um cavalo você pode usar o ano todo. Um trator não pode dar estrume, mas um cavalo pode".

As perspectivas para a próxima safra parecem, portanto, muito sombrias, embora condições climáticas perfeitas possam compensar parte dos fatores desfavoráveis.

Talvez a nova política agrícola do governo soviético ajude. Primeiro, serão enviados milhares de trabalhadores da cidade, o chamado Departamento Político, para as aldeias. A tarefa deles será a de esmagar toda a oposição e organizar o trabalho nas fazendas coletivas. Eles são homens implacáveis que podem usar a violência para atingir seus objetivos. Embora eles possam ter sucesso em aterrorizar os camponeses, é difícil ver como eles conseguirão aumentar a colheita.

Desastre: tentativa de erradicar o campesinato falha

O segundo ponto da nova política do governo é o novo imposto agrícola, pelo qual os colcozes pagarão uma taxa (geralmente, cerca de 2,5 cêntimos) por hectare da área planejada para a semeadura, e então estarão livres para vender o resto no mercado.

Perguntei a alguns camponeses sobre isso. Um disse: "Sim, eles disseram que no ano passado poderíamos vender o excedente no mercado privado, mas nos tiraram tudo. Não acreditamos mais neles. Eles dizem que só vão levar 15 poods por hectare, mas vão pegar tudo".

Na maioria dos distritos, o rendimento será tão pequeno que poderá ser inferior ao imposto. Os camponeses perderam tanto a fé no governo que a nova política não os motivará a trabalhar. As perspectivas para a safra, portanto, permanecem sombrias apesar da nova política.

De 1917 a 1921, os bolcheviques erradicaram a nobreza e a burguesia, e a Rússia sobreviveu. De 1928 a 1933, eles tentaram erradicar o campesinato, e o resultado foi um desastre.

Com Hearst na Califórnia

O magnata da imprensa William Randolph Hearst foi um dos mais influentes jornalistas nos Estados Unidos. Ele é tido como o personagem que inspirou o cineasta Orson Welles no filme *Cidadão Kane*. No final do século XIX, Hearst e outro empresário da mídia, Joseph Pulitzer, embrenharam-se em uma competição acirrada na qual seus jornais exageravam ou distorciam os fatos para vender mais exemplares a preços baixos, de 1 a 2 centavos. Foi a época conhecida nos Estados Unidos como o "jornalismo amarelo".

Em junho de 1934, Jones, então empregado pelo jornal galês *The Western Mail*, recebeu a missão de entrevistar Hearst em seu Castelo St. Donat's, a 26 quilômetros da capital Cardiff. A conversa foi publicada com o título "A paz mundial nas mãos dos anglo-saxões". No texto, Hearst era descrito como a maior personalidade no mundo do jornalismo americano e falava de diversos assuntos, como a crescente agressividade japonesa e a capacidade da Liga das Nações de preservar a paz. Os dois tomaram chá juntos e Hearst convidou o entrevistador para uma visita ao seu rancho de San Simeon, na Califórnia. O lugar hoje é um museu, conhecido como o Castelo Hearst.

Jones passou por San Simeon em janeiro de 1935. De lá, seu plano era ir para a Ásia, onde faria mais reportagens. Em sua parada na Califórnia, ficou impressionado com a mansão que, quando terminou de ser construída, em 1947, tinha 165 quartos. Ele viu estátuas babilônicas, gregas, romanas, persas e egípcias, além de vários animais, como tigres, ursos, macacos, búfalos e um elefante. Após descansar de sua viagem, Jones almoçou com Hearst. Durante a refeição, o telefone do empresário tocava insistentemente e ele recebia notícias o tempo todo.

Hearst então contratou Jones para escrever três reportagens sobre a União Soviética, que foram publicadas em seus diversos jornais. As matérias foram impressas em janeiro, nos dias 12, 13 e 14. Jones as redigiu baseando-se em suas memórias e anotações, mesmo dois anos após sua última viagem para a URSS. Ele também se referiu a fatos que ocorreram algumas semanas antes, como o assassinato do amigo de Stalin, Serguei Kirov, em 1º de dezembro de 1934. Líder da facção bolchevique em Leningrado, ele foi morto com tiros nas costas. Do exílio, Leon Tróstki acusou a polícia secreta, o OGPU, de atuar a mando de Stalin. A morte de Kirov deu início ao Grande Expurgo, que o ditador usou para eliminar desafetos.

A FOME NA RÚSSIA

New York American e *Los Angeles Examiner*

NOVA YORK, 12 de janeiro de 1935. A voz sinistra do agente da polícia secreta, o estalo do pelotão de fuzilamento e o baque de uma vítima caindo têm sido ouvidos com mais frequência nas últimas semanas na Rússia do que em muitos anos. Pois, em 1935, despontou um período de terror após o assassinato do amigo de Stalin, em 1º de dezembro.

Mas ninguém, até agora, contou a história verdadeira da onda de assassinatos que está aterrorizando Moscou. O que está por trás dos tiros de rifle? Por que Stalin está surpreendendo com uma matança implacável os cidadãos soviéticos num momento em que ele afirma ter trazido felicidade e prosperidade para suas vidas?

Tentarei dar a resposta descrevendo minhas aventuras entre o povo russo, quando perambulei sozinho a pé por várias aldeias, dormindo no chão duro de cabanas de camponeses e falando com as classes mais baixas do povo real, os "homens esquecidos", em sua própria língua, o russo.

Foi entre as massas famintas que acompanhei o verdadeiro motivo dos assassinatos na Rússia de 1935 e é este: há, em todo o país, um sentimento de revolta e de ódio aos comunistas que Stalin só pode esmagar com terror e ainda mais terror.

O que eu encontrei na Rússia? Há não muitos meses, eu estava em Moscou, jantando com dois líderes do Ministério das Relações Exteriores da União Soviética no palácio de um ex-milionário.

Sete tipos de bebidas no jantar dos oficiais

Um deles, depois de dar um gole em seu champanhe, que era uma das sete bebidas diferentes do luxuoso jantar, tomou a iniciativa de me dar sua impressão de que tudo ia bem com a situação alimentar. Virou-se para mim e exclamou: "Meu caro senhor, tivemos maravilhosos triunfos nas aldeias. Os camponeses estão satisfeitos. O padrão de vida deles melhorou e eles se tornaram ainda mais leais defensores do comunismo".

Eu estava determinado a checar isso e decidi que iria pegar uma mochila grande, enchê-la de comida, andar pelas aldeias e ver por mim mesmo como os camponeses — dos quais, de um total de 160 milhões, 120 milhões estão na Rússia — estavam realmente vivendo.

Mas foi uma tarefa difícil. Os jornalistas não eram sequer autorizados a ir para o interior. Se eu pedisse uma passagem de trem para uma aldeia, isso seria educadamente recusado.

Quando fui a uma embaixada pedir conselhos sobre como entrar nas aldeias, um dos secretários disse: "É perigoso agora, pois há bandidos em busca de comida. Mas se você realmente quer ir, não conte a nenhum comunista ou você será impedido. Então, tome cuidado ao andar à noite, pois você será atacado e sua comida será tirada de você, bem como tudo o que você tem, e talvez você perca sua vida".

Começa a viagem de investigação

A única coisa a fazer era pegar uma passagem para uma cidade grande e descer do trem em uma pequena estação sem que ninguém notasse. Assim, comprei uma passagem para Kharkiv, na Ucrânia, e em pouco tempo me encontrei em um trem escuro e fedido de madeira em direção ao sul.

O trem estava lotado de camponeses vestidos com suas peles de carneiro, pois era março e o território russo ainda estava coberto por uma camada de neve profunda.

Um dos camponeses sentou-se gemendo no canto e as palavras que me impressionaram foram: "*Hlebu nietu*", "Não há pão".

Eu tinha ouvido essas palavras de mendigos camponeses nas ruas de Moscou, homens barbudos com olhos vidrados de medo que vinham até mim em

FOME NA UCRÂNIA

algum canto sossegado e sussurravam: "Estamos morrendo de fome. Não há pão. Meus amigos e familiares estão morrendo na aldeia. Então eu tive que vir a Moscou procurar comida".

E esse mesmo refrão medonho eu ouvi novamente no trem "duro" e lento (viajar "duro" é ir em um vagão de madeira, enquanto viajar "suave" é viajar numa espécie de Pullman*), a caminho da Ucrânia, aquela área anteriormente rica do sul da Rússia.

Quando comecei a comer um pão branco, notei o camponês gemendo olhando para mim. Sem querer, deixei cair um pedaço de pão e, como estava coberto de sujeira e poeira, deixei-o no chão.

Em um piscar de olhos, o camponês se lançou sobre o pedaço e o devorou como um animal selvagem.

Alguns minutos depois comi uma laranja, que comprara com o resto da minha comida com dólares americanos na loja para estrangeiros, e joguei a casca em um canto não varrido.

Devora a casca da laranja

Não ficou ali mais do que um ou dois segundos, pois o camponês se jogou no chão e engoliu a casca como se fosse um prato delicioso servido em um restaurante de primeira classe.

"Você está com fome", eu disse para ele. "Com fome", ele respondeu. "Nós, camponeses, estamos todos com fome. Os comunistas levaram nossos grãos. Roubaram-nos a nossa terra. Eles vieram à nossa aldeia e deixaram apenas algumas batatas para nós aguentarmos o inverno. Há pão nas grandes cidades, mas não há pão nas aldeias, nas casas das pessoas que cultivam o trigo."

E ele me contou como, em sua aldeia, dezenas estavam morrendo de fome, como o povo havia coletado o pouco de prata e ouro que tinham guardado e disseram a ele: "Nós o enviaremos à grande cidade para que você encontre pão e o traga de volta, para nos salvar da morte".

O camponês viajou para Moscou e pegou o pão.

Então veio a tragédia. Os ladrões chegaram e roubaram o saco de pão dele, e tudo o que ele tinha para levar era um saco de batatas.

---

* Pullman: antigo trem luxuoso britânico.

"E agora eles vão esperar por mim todos os dias na aldeia. Eles esperarão pão e, em vez disso, terão a morte."

"E talvez eles pensem que eu mesmo comi o pão." E recomeçou seu gemido monótono.

Havia um jovem de rosto pálido e maltrapilho parado perto de uma janela, de quem me aproximei e logo ouvi novamente aquele refrão que me perseguia em Moscou: "Não há pão".

Desiludido? Claro que sim

Ele me disse que era membro da Liga dos Jovens Comunistas e acrescentou que "apesar disso, só consigo algumas batatas".

"Eu trabalho em uma cidade pequena e eles não me dão pão. Meu irmão morreu de fome e tenho medo de que minha mãe e minha irmã morram da mesma forma, pois quando as deixei, há alguns dias atrás, tudo o que restava para comer em casa eram dois copos cheios de farinha."

"Mas você não ficou desiludido?", eu perguntei, e sua resposta foi uma das declarações mais significativas que ouvi na Rússia.

"Desiludido!" ele gritou. "Desiludido. Claro que estamos desiludidos. Veja o que nos foi prometido. Os líderes bolcheviques disseram que nos dariam bastante pão até o final do plano de cinco anos, que a terra daria frutos como leite, ovos e manteiga, que cada um de nós teria carne todos os dias e que haveria roupas em abundância. E o que aconteceu? O plano de cinco anos acabou e há fome em todo lugar. Não admira que haja um sentimento de revolta."

Então, ele olhou em volta para ter certeza de que ninguém estava ouvindo, e baixou seu tom irritado para um sussurro: "Não importa que vários comunistas queiram saber quando os tempos bons virão e por que as promessas não foram cumpridas. Haverá problemas dentro do Partido Comunista se os camponeses e os trabalhadores das pequenas cidades não tiverem mais o que comer, guarde minhas palavras".

FOME NA UCRÂNIA

Engana o trem em sua aventura

Essas palavras, ditas pelo jovem russo faminto perto da janela do trem que ia para a Ucrânia, foram proféticas e me vieram à mente quando ouvi falar do assassinato do líder soviético Kirov, dos planos para matar Stalin e da vingança do governo soviético contra mais de uma centena de russos.

Mas mais impressionante do que essa profecia foi o que vi durante minha caminhada pelas aldeias russas, que começou logo após minha conversa com o jovem comunista desiludido.

O trem parou em uma pequena estação. "Aqui está minha chance de escapar e entrar na terra de ninguém da Rússia", disse para mim mesmo.

Fechei minha mochila com minha preciosa comida e, pouco antes de o trem seguir para Kharkiv, desci e logo fiquei sozinho na neve, pronto para começar minha aventura. O que encontrei nessas aldeias contarei no próximo artigo.

NÃO TEM PÃO

Sunday American e *Los Angeles Examiner*

NOVA YORK, 13 de janeiro de 1935. A neve cobria tudo a minha volta quando comecei minha caminhada pelas aldeias do norte da Ucrânia, a parte da Rússia que outrora alimentou a Europa e era conhecida como o celeiro do mundo.

Decidi então caminhar pelos trilhos do trem porque, se eu penetrasse no país, eu poderia me perder na neve e talvez nunca mais voltar.

As primeiras palavras que ouvi foram nefastas, pois uma velha camponesa movendo-se com dificuldade pelos trilhos respondeu à minha saudação com esta frase: "*Hleba nietu*" (não há pão).

"Há dois meses não temos pão aqui", acrescentou ela com aquela voz chorosa profunda que a maioria das camponesas tinha.

"Muitos estão morrendo na aldeia. Algumas cabanas têm batatas, mas muitos de nós têm apenas a ração para o gado, que vai durar só mais um mês."

Ela se afastou e eu fiquei olhando sua figura corcunda, feia e trágica delineada contra a neve.

A próxima aldeia para onde fui era de uma quietude sobrenatural e demorou muito para eu encontrar um ser vivo.

162

"Todos estão inchados" é o segundo refrão

Dele, eu ouvi o mesmo lamento: "Não há pão". E acrescentou outra frase que eu estava destinado a ouvir com frequência, que era: "*Vse pukhly*" ou "todos estão inchados".

Percebi então que alguns dos camponeses que vi estavam com as mãos inchadas, e eles me disseram que era por falta de comida.

Perambulei e fiquei impressionado com a ausência de gado e cavalos. Havia algumas vacas e alguns cavalos, mas eram animais miseráveis, esquálidos, cobertos de feridas horríveis repugnantes aos olhos.

Quando cheguei a outra aldeia, perguntei onde o gado tinha desaparecido, e minha pergunta trouxe raiva e desespero ao grupo de camponeses que estava do lado de fora de uma cabana bem construída.

"Nosso gado foi amaldiçoado", declararam. "As vacas estão morrendo porque não podemos alimentá-las, onde podemos obter a ração?"

"E nós devemos passar fome para que nosso gado viva? Somos nós que temos que comer forragem de gado hoje em dia."

Um camponês entrou na cabana com uma beterraba dura e áspera.

"Esta é a única comida que temos nesta aldeia, tirando algumas pessoas sortudas que têm poucas batatas. E essa é a comida que costumávamos dar para o gado."

"É uma situação triste quando nós, agricultores da terra da Ucrânia, que costumava alimentar o mundo e era um mar de grãos dourados, não temos mais nada para comer além da beterraba que era para o gado."

"E os cavalos?", eu perguntei, e alguns camponeses se viraram para mim com um olhar horrorizado.

"Você não sabia que nós comemos os cavalos?"

Ele disse isso com um desgosto tão profundo que eu fiquei perplexo, mas aprendi mais tarde que o camponês russo tinha uma repugnância profunda em tocar carne de cavalo, assim como um judeu ortodoxo tem de comer carne de porco.

O ápice da fome

Foi com horror que ele olhou para o tártaro que se profanava comendo carne de cavalo.

Assim, chegar ao nível de comer carne de cavalo era reduzir-se ao cúmulo da fome, e eles chegaram a esse limite nas aldeias que visitei.

A situação do rebanho era realmente desastrosa, pois, em alguns lugares, mais de quatro quintos do gado tinha perecido.

Alguns tinham sido massacrados pelos próprios camponeses, porque os comunistas exigiram que eles entregassem o gado para que os animais se tornassem propriedade comum na fazenda coletiva.

"Por que devemos entregar nosso gado? Por que devemos permitir que os comunistas roubem o que é nosso?", foi a resposta dos fazendeiros. Em vez de perder suas vacas, eles as abateram, dizendo: "Vamos comer agora, pois amanhã podemos passar fome, tendo perdido nosso gado".

Depois de conversar com o povo sobre seus cavalos e vacas, continuei andando até escurecer, e um brilho vermelho se formou acima do horizonte branco. Dois homens estavam parados na linha do trem.

"Não vá mais longe", disse um deles, um jovem alto e forte, ao me parar educadamente. "Há bandidos que vão roubar tudo o que você tem."

"Venha e fique conosco." Levaram-me para uma cabana e lá notei rastejando sobre a cama uma criança de barriga inchada.

Os olhos da criança eram estranhos, pois parecia haver uma substância de vidro, como uma película, neles.

Perguntei à mulher qual era o problema, e ela respondeu com uma palavra: "*Golod*", que significa "Fome".

Não contaram os mortos da fome

Sim, a fome estava assolando aquela vila, assim como todo aquele distrito.

"Fome!", disseram os velhos que se reuniram para falar comigo na cabana vazia. "É fome. Pior ainda do que em 1921."

"Você pergunta quantas pessoas morreram? Nós não podemos dizer. Não os contamos, mas talvez um em cada dez."

"E a morte está chegando para muitos de nós desta aldeia, porque ainda faltam alguns meses para a próxima colheita."

Virei-me para os velhos agricultores e disse: "Por que esse flagelo os acometeu?".

Um deles acariciou a barba, coçou a cabeça e respondeu: "É porque os comunistas amaldiçoaram a Deus. Eles tentaram banir Deus do nosso meio, e o castigo veio na forma de morte. Quando a Santa Mãe Rússia acreditou em Deus, os campos se tornaram uma massa de ouro, e o gado e os cavalos se multiplicaram".

"Mas agora veio a vingança por toda a blasfêmia e o mal que foram pregados."

Um velho camponês interrompeu: "Eles tentaram tirar os ícones sagrados que eu tinha pendurados na parede, mas eu disse a eles: 'Larguem os meus ícones, pois sou um camponês e não um cachorro'".

Soldados vermelhos são amigáveis

Durante a noite, continuou a discussão sobre como os comunistas tinham arruinado o campo com sua política de tirar a terra, os grãos e as vacas dos fazendeiros, e demorou muito para eu adormecer no meio de uma aldeia afligida pela fome.

Na manhã seguinte, bateram à porta e dois soldados do Exército Vermelho entraram, rindo e brincando em seus uniformes aquecidos. "Não se assuste, camarada, mas dois ladrões vieram para cá. Temos que capturá-los."

Houvera um assassinato algumas noites antes, quando dois homens em busca de comida saquearam o armazém externo de um camponês e levaram todas as batatas que ele tinha. O proprietário, ao ouvir o barulho, correu para salvar suas coisas, mas recebeu um ferimento fatal com uma adaga.

"Mas", disse um dos soldados, "há muitos desses casos hoje em dia, quando não há comida", e depois de fazer perguntas ao meu anfitrião, eles se afastaram.

Mais casos tristes

Dentro de uma hora, eu estava preparado para marchar e segui o meu caminho mais para o sul. Em cada casa em que os camponeses me entretinham com aquela cordialidade pela qual os russos são famosos, eles suplicavam para que eu os perdoasse por não terem comida para oferecer, e eu olhava para as crianças com seus membros deformados e sentia a tragédia daquela fome causada pelo homem que tomou o país em suas garras.

"Não tenha pena de nós", diziam alguns dos camponeses, "mas tenha pena daqueles que vivem em torno de Poltava e mais ao sul. Lá, aldeias inteiras estão vazias, pois TODOS MORRERAM, e em muitas comunidades METADE PERECEU".

Mas, para mim, a fome naquelas aldeias já era bastante lamentável. Logo eu aprenderia mais, porém, em um certo período de tempo, eu escutei o porquê de a fome ter chegado, como os comunistas tinham tratado muitos dos pais que procuravam comida para seus filhos e como havia fome mesmo em uma grande cidade, como Kharkiv. Isso eu conto amanhã.

VERMELHOS DEIXAM OS CAMPONESES MORREREM DE FOME

New York American e *Los Angeles Examiner*

NOVA YORK, LOS ANGELES, 14 de janeiro de 1935. "Os comunistas vieram e tomaram nossas terras, roubaram nosso gado e tentaram nos fazer trabalhar como servos em uma fazenda onde quase tudo era de propriedade comum" — os olhos do grupo de agricultores ucranianos brilharam de raiva enquanto falavam comigo — "e sabe o que fizeram com aqueles que resistiram? Atiraram neles impiedosamente."

Eu estava escutando pessoas em outra aldeia atingida pela fome mais abaixo na linha de trem gelada em que eu estava, e a história que eu ouvia agora era a de uma guerra real nas aldeias.

Os camponeses me contaram como, em cada aldeia, o grupo dos homens mais trabalhadores — os kulaks, como eles os chamavam — havia sido capturado e suas terras, rebanhos e casas confiscados, e eles foram colocados em caminhões de gado e enviados em uma viagem de 2 ou 3 mil quilômetros ou mais, quase sem nenhuma comida, para as florestas do Norte, onde deveriam cortar madeira como prisioneiros políticos.

Em uma aldeia que era habitada por colonos alemães — e que lugar impecavelmente limpo e bem cuidado! — eles me disseram que os trens deixaram o distrito cheio de agricultores em prantos.

Arrancados de suas casas, prisioneiros da cruel polícia secreta e do odiado Exército do campo, que existe para obrigar os camponeses a trabalhar, esses fazendeiros antes abastados tiveram como único crime o fato de terem trabalhado todos os dias e noites adentro, terem um pouco mais de terra e acumularem uma ou duas vacas a mais do que os outros.

Noventa crianças morrem no trem

Alguns meses depois, chegou ao distrito a notícia sobre os colonos exilados, e era esta: NOVENTA CRIANÇAS TINHAM MORRIDO DE FOME E DE DOENÇAS NO CAMINHO PARA A SIBÉRIA.

Os comunistas com quem falei não negaram que tinham enviado implacavelmente para o exílio os agricultores que trabalhavam com mais afinco.

Pelo contrário, eles se orgulhavam disso e se gabavam de mostrar misericórdia para aqueles que queriam possuir sua própria terra.

"Devemos ser fortes e esmagar os malditos inimigos da classe trabalhadora", diziam-me os comunistas. "Vamos deixá-los sofrer. Não há lugar para eles em nossa sociedade."

Tampouco negaram os fuzilamentos ocorridos nas aldeias.

"Se algum homem, mulher ou criança sair para o campo à noite no verão e colher uma única espiga de trigo*, então a punição de acordo com a lei é a morte por fuzilamento", os comunistas me explicaram.

E os camponeses me garantiram que isso era verdade.

O maior crime na Rússia é pegar algo que é de propriedade socializada, e o assassinato é considerado uma mera relíquia capitalista e sem importância, em comparação com o pecado da mãe que sai ao campo à noite para colher espigas para alimentar seus filhos.

Trai a mãe: ele é um herói!

Uma criança que denunciou sua mãe à polícia secreta por colher trigo à noite tornou-se uma grande heroína em toda a Rússia.

---

* Em agosto de 1932, o governo soviético decretou a Lei das Espigas, punindo com pena de morte ou dez anos em um campo de concentração quem roubasse propriedade socialista.

FOME NA UCRÂNIA

Em todas as escolas, o menino foi elogiado por ter sido nobre o suficiente para trair sua mãe pelo bem do Estado.

Caminhar! Caminhar! Caminhar! Fui de aldeia em aldeia ouvindo todas essas notícias. Em todos os lugares a mesma história de fome e terror.

Em um lugar, o povo me contou como, a alguns quilômetros de distância, os camponeses se recusaram a entregar suas vacas e a formar uma fazenda coletiva comunista.

"Então eles enviaram os soldados do Exército Vermelho para forçá-los", eles me disseram. "Mas os soldados não atirariam em seus companheiros camponeses."

"O que eles fizeram? Eles chamaram os jovens comunistas da cidade e eles mataram todos os camponeses que não entregaram suas terras e suas vacas."

Em toda a Rússia, ocorreram pequenas revoltas como essa, mas elas foram fácil e sangrentamente esmagadas.

Meus sapatos estavam se desgastando com a perambulação pela mistura de areia, pedras e gelo no trilho do trem, e cada passo trazia um novo calafrio de neve endurecida ou uma nova pedra atravessando as solas.

Mas fui impulsionado pelo desejo de resolver um problema — por que havia fome em um dos países mais ricos em cultivo de trigo do mundo? E a cada camponês eu perguntei: *"Potchemu golod?"*, "por que há fome?".

Fome não é de causa natural

Os camponeses responderam: "Não é culpa da natureza. A culpa é dos comunistas. Eles tiraram nossas terras. Por que devemos trabalhar se não temos nossa própria terra? Eles levaram nossas vacas. Por que deveríamos trabalhar se não temos nossas próprias vacas e se temos que dividir o que é nosso com todos os bêbados e preguiçosos da aldeia? Eles levaram o nosso trigo. Por que devemos trabalhar se sabemos que nosso trigo será tirado de nós? Os comunistas nos transformaram em escravos e não seremos felizes até que tenhamos nossa própria terra, nossas próprias vacas e nosso próprio trigo novamente".

De repente, porém, minhas investigações tiveram de parar. Foi em uma pequena estação, quando eu estava conversando com um grupo de camponeses. "Estamos morrendo", lamentaram-se e despejaram a velha história de suas desgraças. Um policial fardado do OGPU, de rosto vermelho e bem alimentado, aproximou-se de nós e ficou escutando por alguns momentos.

Então veio a explosão, e de seus lábios derramaram uma série de ofensas russas. "Afastem-se! Parem de contar a ele sobre a fome! Vocês não veem que ele é um estrangeiro?"

Ele se virou para mim e rugiu: "Venha. O que você está fazendo aqui? Mostre-me seus documentos".

Um anticlímax de boas-vindas

Imagens de uma prisão da polícia secreta passaram pela minha mente. O homem do OGPU olhou para o meu passaporte e acenou para uma pessoa da multidão, que eu tinha tomado por um passageiro comum, mas que obviamente era da polícia secreta.

Ele veio até mim e, nos termos mais educados e respeitosos, me pediu para segui-lo. "Terei que levá-lo para a cidade mais próxima, Kharkiv."

Neste momento, veio um trem e entramos nele.

Durante toda a viagem, eu o impressionei com o fato de ter entrevistado a viúva de Lênin, vários comissários e grandes figurões do regime soviético. Quando chegamos a Kharkiv, acreditei que ele estava totalmente convencido de que qualquer prisão minha na verdade iria afundar a Rússia, a Europa e os Estados Unidos em uma guerra mundial.

Pois ele decidiu me acompanhar a um consulado estrangeiro* em Kharkiv e me deixou na porta, enquanto eu, regozijando com a minha liberdade, dei-lhes um educado adeus — foi um anticlímax, mas bem-vindo.

Minha jornada pelas aldeias havia terminado e eu estava na principal cidade da Ucrânia, onde tudo o que vi confirmava minhas opiniões sobre a fome russa.

Nas ruas havia mendigos camponeses de todas as partes do país que fugiram da fome das aldeias para buscar comida nas cidades, e seus filhos pálidos estavam com as mãos estendidas gritando: "Tio, dê pão para a gente!".

Falei com trabalhadores que me disseram que tinham sido despedidos das fábricas, porque as fábricas estavam reduzindo o trabalho. Quando ficaram

---

* O consulado alemão.

desempregados, os seus cartões de pão lhes foram retirados, e eles foram ordenados a deixar as cidades.

Eu vi uma fila de pão de mais de mil pessoas nervosas.

"Estamos esperando aqui há quase dois dias", disse-me uma das mulheres na fila, "e talvez o suprimento acabe antes de chegarmos ao primeiro lugar."

Em outra rua, vi a polícia expulsando uma centena de homens e mulheres esfarrapados que formavam uma fila de pão do lado de fora de uma loja.

"Queremos pão", gritavam. "Não sobrou pão", gritava a polícia, mas a multidão não perdia a esperança.

Centenas de meninos sem-teto

A visão mais terrível, no entanto, era a dos meninos sem-teto, que vagavam pelas ruas em trapos imundos, cobertos de feridas de doenças e cujas feições eram depravadas e criminosas.

Trezentos deles haviam sido detidos e estavam na delegacia. Olhei para eles através de uma janela e notei alguns caídos no chão em estado grave de tifo.

Esses foram alguns dos resultados do regime soviético que eu mesmo testemunhei.

Pode-se imaginar que tenha havido um sentimento de revolta na população e que tenha havido complôs dentro do próprio Partido Comunista?

A oposição é fraca demais para derrubar o regime, que está fortemente entrincheirado, mas, no entanto, a desilusão e o desespero das massas do povo russo, mostrados nas cenas que descrevi na Ucrânia, são as verdadeiras razões pelas quais Stalin foi forçado a iniciar neste Natal e no Ano Novo um novo reinado de terror na terra dos sovietes.

Assassinato na China

Após passar três meses nos Estados Unidos, Gareth Jones embarcou no início de 1935 em um navio para o Havaí e, de lá, foi para o Japão e a China. Quatro anos antes, o Império Japonês tinha invadido a região chinesa da Manchúria e estabelecido ali uma colônia, denominada Manchukuo.

O plano de Jones era ficar por lá durante quatro semanas investigando quais eram as intenções dos japoneses, que em 1936 viriam a formar uma aliança com a Alemanha nazista e lutariam contra os Aliados na Segunda Guerra Mundial.

No dia 4 de julho, Jones partiu de Pequim em um comboio de dois carros e um caminhão em direção à Mongólia. Quem também estava com ele era um jornalista alemão, Herbert Muller. No dia 28, um grupo de bandidos chineses, controlados pelos japoneses, sequestraram Jones e Muller. O alemão foi libertado dois dias depois, com a missão de conseguir 100 mil dólares mexicanos para pagar o resgate de Jones.

No dia 12 de agosto, um dia antes de completar 30 anos, Jones foi morto pelos seus captores com três tiros.

O assassinato se deu em circunstâncias misteriosas, mas existe a suspeita de que soviéticos tenham tramado sua morte. Primeiro, porque o veículo no qual os dois foram capturados pertencia à polícia secreta soviética. Além disso, a empresa alemã Wostwag, que estava envolvida na viagem de Jones, era na realidade um braço da NKVD, que em 1934 assumiu os trabalhos do OGPU.

Ao tomar conhecimento da morte de seu ex-secretário, o ex-primeiro-ministro britânico Lloyd George deu uma declaração, replicada em vários jornais: "Aquela parte do mundo é um caldeirão de intrigas conflitantes, e um ou outro dos interessados na questão provavelmente tinha consciência de que Gareth Jones sabia muito sobre o que estava acontecendo".

Bibliografia

APPLEBAUM, Anne. *A Fome Vermelha: a guerra de Stalin na Ucrânia*. Rio de Janeiro: Record, 2019.

COLLEY, Dr. Magaret Siriol. *More than a Grain of Truth: the official biography of Gareth Jones*. Londres: Lume Books, 2005.

GAMACHE, Ray. *Gareth Jones: Eyewitness to the Holodomor*. Cardiff: Welsh Academic Press, 2013.

MONTEFIORI, Simon Sebag. *Stálin: a Corte do Czar Vermelho*. São Paulo: Companhia das Letras, 2006.

SNYDER, Thimothy. *Bloodlands: Europe Between Hitler and Stalin*. Reino Unido: Basic Books, 2011.

TCHERNAVIN, Vladimir. *Nos Campos de Concentração Soviéticos*. São Paulo: Avis Rara, 2022.

LEIA TAMBÉM:

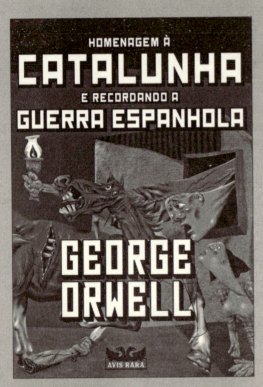 

Edição especial que reúne textos de George Orwell sobre a guerra espanhola e que foram reunidos e sistematizados pelo jornalista e tradutor Duda Teixeira. Esta versão conta ainda com uma linha do tempo e um glossário, que auxiliam a entender a complexa Guerra Civil Espanhola, precursora da Segunda Guerra Mundial.

Em *O império do bem*, os alvos do autor todas as formas de autoritarismo disf das de civilidade. Com uma escrita e pensa to extraordinários, a obra de Muray propo na um verdadeiro alívio nesses nossos dias.

 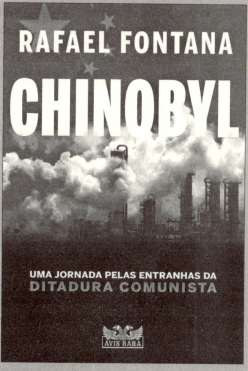

m todo o mundo manchetes alardeiam a ideia de que a democracia está sob constaneaça, e a imprensa anuncia diariamente nossas sociedades estão com os dias con. Mas o que realmente constitui ameaça à ocracia e o que é mera cortina de fumaça? onde virá o golpe?
ão essas perguntas, entre outras igualmenais, que este livro trata.

Rafael Fontana traz neste livro o que pode ser comparado a uma bomba, já armada, e próxima de explodir. Sua investigação é um alerta para todos os países — especialmente o Brasil —, sobre questões de segurança e os mecanismos que a ditadura desenvolveu para minar democracias, controlar informações e expandir seu projeto totalitário para além de suas fronteiras.

ASSINE NOSSA NEWSLETTER E RECEBA INFORMAÇÕES DE TODOS OS LANÇAMENTOS

www.faroeditorial.com.br

CAMPANHA

Há um grande número de pessoas vivendo com HIV e hepatites virais que não se trata. Gratuito e sigiloso, fazer o teste de HIV e hepatite é mais rápido do que ler um livro.

FAÇA O TESTE. NÃO FIQUE NA DÚVIDA!

ESTA OBRA FOI IMPRESS
EM SETEMBRO DE 2022